Caminhada *com* propósitos *para mulheres*

KATIE BRAZELTON

Caminhada com propósitos
para mulheres

Unindo suas atividades
e paixões com os propósitos
de Deus para sua vida

EDITORA VIDA
Rua Conde de Sarzedas, 246 – Liberdade
CEP 01512-070 – São Paulo, SP
Tel.: 0 xx 11 2618 7000
atendimento@editoravida.com.br
www.editoravida.com.br

© 2005, de Katherine F. Brazelton
Título do original: *Pathway to Purpose for Women*
Edição publicada por ZONDERVAN PUBLISHING HOUSE
(Grand Rapids, Michigan, EUA)

■

Todos os direitos desta tradução em língua portuguesa reservados por Editora Vida.

PROIBIDA A REPRODUÇÃO POR QUAISQUER MEIOS, SALVO EM BREVES CITAÇÕES, COM INDICAÇÃO DA FONTE.

Coordenação editorial: Sônia Freire Lula Almeida
Tradução: Denise Avalone
Edição: Noemí Lucília Soares Ferreira
e Íris Gardino
Revisão: Bete Abreu
Diagramação: Set-up Time
Capa: Brand Navigation, Getty Images, Photodisc, Jules Frazier

■

Scripture quotations taken from *Bíblia Sagrada, Nova Versão Internacional*, NVI®
Copyright © 1993, 2000 by International Bible Society®.
Used by permission IBS-STL U.S.
All rights reserved worldwide.
Edição publicada por Editora Vida, salvo indicação em contrário.

1. edição: 2006
1ª reimp.: jun. 2007
2ª reimp.: out. 2007
3ª reimp.: jun. 2009
4ª reimp.: ago. 2011
5ª reimp.: jan. 2018

Dados Internacionais de Catalogação na Publicação (CIP)
(Câmara Brasileira do Livro, SP, Brasil)

Brazelton, Katie
 Caminhada com propósitos para mulheres: unindo suas atividades e paixões com os propósitos de Deus para sua vida / Katie Brazelton; prefácio de Kay Warren; tradução Denise Avalone. — São Paulo: Editora Vida, 2006.

 Título original: *Pathway to Purpose for Women*.
 Bibliografia.
 ISBN 978-85-7367-973-1

 1. Mulheres cristãs — Vida religiosa 2. Vocação — Cristianismo I. Título.

06-5560   CDD-248.843

Índices para catálogo sistemático:
1. Mulheres : Guias de vida cristã : Cristianismo 248.843

À minha querida filha, Stephanie, que por quinze anos me encorajou, dizendo: "Mamãe, Deus quer que você faça isso". Durante incontáveis meses, você cuidou dos afazeres da casa, fez compras e até visitou um hospital por mim!

Ao meu extraordinário filho, Andy, que constantemente me estimulou com palavras e gestos. "Não se atreva a desistir. Seu trabalho com as mulheres é muito importante", dizia.

A Julie, nora maravilhosa, que foi muito importante para mim durante a redação deste livro.

Essas almas preciosas supriram-me plenamente por meio de orações, amor, abraços, mensagens e esperança. Graças a vocês, nada me faltou. Obrigada porque, enquanto eu cumpria o chamado de Deus para minha vida, vocês foram como Jesus para mim.

Amo cada um de vocês. Que o testemunho da revelação dos propósitos de Deus em minha vida possa lembrar-lhes que ele criou um plano único para cada um de vocês também. Oro para que ele me use, a cada dia, como "vento sob suas asas".

Que vocês possam voar tão alto quanto as águias.

Isaías 40.31

*Fizeste-me conhecidos os caminhos da vida;
com a tua face me encherás de júbilo.*

(Atos 2.28, ARC)

SUMÁRIO

Prefácio — Kay Warren   9

Parte I
O PRIMEIRO PASSO NA CAMINHADA

CAPÍTULO 1 Sua vida está fora de sintonia?   13
CAPÍTULO 2 Deixe o passado para trás   27

Parte II
NÃO CAMINHE SOZINHA

O propósito divino da *comunhão* para você: relacionar-se com as pessoas

CAPÍTULO 3 Faça hoje o que é importante   45
CAPÍTULO 4 Ame os outros como Jesus ama você   63

Parte III
SIGA OS PASSOS DE JESUS

O propósito divino do *discipulado* para você: conhecer a Cristo e ser como ele

CAPÍTULO 5 Busque a paz   81
CAPÍTULO 6 Arrependa-se e desvie-se de todos os seus males   100

Parte IV
CAMINHE A SEGUNDA MILHA
O propósito divino do *ministério* para você: servir outros

CAPÍTULO 7 Lavem os pés uns dos outros	121
CAPÍTULO 8 Caminhe com integridade	137

PARTE V
CORRA PARA JESUS
O propósito divino da *adoração* para você: exaltá-lo com sua vida

CAPÍTULO 9 Espere que Deus atenda aos desejos de seu coração	157
CAPÍTULO 10 Ofereça sua vida a Deus	173

Parte VI
MOSTRE O CAMINHO AOS OUTROS
O propósito divino da *evangelização* para você: completar a missão que ele tem para sua vida

CAPÍTULO 11 Contemple a visão de Deus	193
CAPÍTULO 12 Tenha coragem	212
CAPÍTULO 13 Glorifique Deus	229

APÊNDICES

Guia para discussão em grupo	244
Um novo começo com Jesus	260
Agradecimentos	261

Prefácio

Em 1997, Katie dirigiu um programa de dois dias intitulado LifePlan [Plano de vida]. Essa experiência transformadora foi extremamente importante para minha vida! Até então, andava frustrada e confusa sobre meus dons e minhas metas espirituais, sem saber como minha vida poderia contribuir para o Reino de Deus. Sob sua orientação firme e ao mesmo tempo gentil, vi minha vida com novos olhos e comecei a sentir uma apreciação ainda maior por Deus. Usando enormes papéis de embrulho, que depois afixamos nas paredes de sua sala de estar, traçamos o rumo de minha vida desde a infância; ficou evidente que Deus me conduzira em cada momento. Foi um exercício de humildade que me convenceu de seu amor por mim. Tudo o que conhecia teoricamente passou a fazer sentido e, assim, descobri o júbilo e o significado da dor que experimentara.

O Espírito Santo usou Katie a fim de abrir meus olhos para as atitudes, os pecados e os desejos equivocados que mostrara até então. Depois de uma sessão de oração revigorante, consegui livrar-me deles. Ao me permitir analisar o passado e observar o presente, ela me ajudou a desfazer-me de todos os meus sonhos inúteis quanto ao futuro, sonhos que tinha receio até de revelar. Na presença calorosa, graciosa e encorajadora de Katie, pedi a

Deus que me usasse de maneira surpreendente, coisa que não imaginava ser possível nem me atrevia a desejar. Lágrimas escorreram de nossos olhos quando ela confirmou o chamado de Deus para minha vida, expôs a certeza de que ele permitira a dor visando a seus bons propósitos e manifestou fé na minha capacidade de realmente cumprir os objetivos inspirados por Deus e os sonhos que traçamos nesse pouco tempo em que passamos juntas. Anos mais tarde, muitas daquelas lições continuam a influenciar minha vida diária. Deus aceitou-me como oferta para ser usada como instrumento e, sempre que minha tarefa parece grande demais, lembro-me dessa experiência reveladora e sinto que se renova em mim a confiança de que ELE guia meus passos na realização de sua obra.

Katie revela o mesmo fervor, firmeza, brandura, profunda convicção e paixão por Deus em seus livros. Talvez você não tenha o mesmo privilégio que eu — chamá-la de amiga —, mas encontrará, em suas obras, uma preciosa companhia para sua jornada espiritual.

KAY WARREN
Igreja Saddleback
Novembro de 2004

Parte I

O primeiro *passo na* caminhada

Capítulo 1

SUA VIDA ESTÁ FORA DE SINTONIA?

Minha vida se acaba rapidamente, veloz como o vento
(Jó 7.6, BV).

Lembra-se de George Bailey, a principal personagem no clássico do cinema *A felicidade não se compra*? Ele mergulha em profunda depressão e até considera a possibilidade de suicídio por causa de seus sonhos não concretizados e da sensação de vazio interior. Com a ajuda de Clarence, um anjo, George conhece o impacto que, com o decorrer dos anos, sua interferência causou nos relacionamentos, em que sua presença foi de grande significado. Ele percebe que sua vida teve sempre um claro propósito e foi sempre muito importante.

Assim como George, cada pessoa tem propósitos a cumprir em sua vida, muitos dos quais estão ligados a relacionamentos, paixões, talentos, experiências, sonhos, esperanças e anseios. A vida torna-se muito mais significativa, compensadora e dinâmica quando divisamos o plano que Deus elaborou para nós. É uma experiência transformadora. Não sou nenhum anjo, mas experimentei uma grande transformação em minha caminhada em busca de propósitos e estou ansiosa para compartilhar com você as lições que aprendi ao longo dessa jornada.

Aos 35 anos de idade, inesperadamente, enfrentei o divórcio. Gary e eu começamos a namorar na faculdade; em seguida, casamos, construímos nossa vida juntos e tivemos filhos. De repente, num piscar de olhos, depois de uma conversa de apenas alguns minutos, tudo estava acabado. Eu não tinha mais marido de quem precisasse cuidar, meus dois filhos passaram a dormir na casa do pai com freqüência e todas as responsabilidades familiares, que durante anos definiram a minha vida, simplesmente deixaram de existir.

Ainda assim, fui mais feliz do que muitas mulheres que passam pelo divórcio com filhos pequenos. Não fiquei financeiramente desamparada, nem me vi forçada a ganhar a vida sozinha. Pelo contrário. Meu ex-marido, apaixonado por nossos filhos, sempre se dispunha a ficar com eles e fazia todo o possível para facilitar nossa vida. Assim, quando as crianças voltavam para casa, estavam sempre bem alimentadas, traziam roupas novas e mostravam-se alegremente exaustas. Eu tinha muito menos roupa para lavar, comida para fazer, compras e afazeres domésticos com que me preocupar do que quando vivíamos todos sob o mesmo teto. Levava uma vida de "princesa divorciada".

Mas, por dentro, eu não estava bem. Essa vida mais fácil não aliviou em nada o imenso pesar do divórcio. Meu coração estava partido e sentia-me só. Poucas crianças no bairro visitavam nossa nova e pequena casa e seus pais nunca me convidavam para sair. Depois de algumas péssimas experiências, decidi não namorar. Levava, portanto, uma vida calma e simples que compartilhava com meus fiéis amigos, com a Bíblia e com minha mais recente companheira: a TV.

Sem nenhuma função a desempenhar, estava extremamente desanimada e sentia-me inútil. Tudo o que fazia parte da minha vida e que lhe dava algum sentido me fora tomado ou estagnara. Meus amigos casuais perceberam que eu estava meio perdida; aqueles que me conheciam melhor, no entanto, sabiam que, na realidade, estava à beira do desespero.

A dor dessa transição e o sentimento de falta de propósito só pioravam o fato de que, embora, há cinco anos, implorasse a Deus para me dar uma causa do tipo Joana d'Arc ou um propósito único que pudesse cumprir, parecia que ele não julgava conveniente fazê-lo. Eu estava confusa. Às vezes, imaginava que o único propósito coerente que restava em minha vida era o de comprar roupa nova, pois perdera muito peso quando minha depressão se agravou.

O ANSEIO POR UM PROPÓSITO

Mais de dez anos e meio se passaram, desde então, e Deus deu mais significado a minha vida do que jamais poderia ter imaginado. Em meio àquele deserto interior despropositado, iniciei uma jornada espiritual intensa na qual, paulatinamente, Deus revelou diversos motivos para a minha existência. Hoje, trabalhando no ministério da igreja Saddleback, e como facilitadora do programa LifePlan,[1] tenho o privilégio de caminhar ao lado de outras mulheres aflitas, a fim de que possam encontrar o propósito de sua vida.

Posteriormente, falarei mais sobre minha caminhada com propósitos; agora, porém, quero saber a seu respeito: como você se sente em relação ao significado e à importância de sua vida? Você clama ao Senhor para que ele lhe revele os propósitos reservados a você?

> *Toda a vida de um bom cristão revela-se um santo anseio.*
> AGOSTINHO

Em meus passos trôpegos e na interação com milhares de cristãs fiéis, percebi que muitas mulheres desfrutam mal a vida porque se sentem sozinhas, desiludidas ou presas a uma inexplicável insatisfação. Elas sentem que não têm nenhum grande propósito a cumprir no mundo e vivem no limite do desespero, sufocadas pela culpa que carregam em função desse terrível segredo.

O fato é que, de uma forma ou de outra, essas mulheres já sentiram uma espécie de vazio interior em algum momento da vida. Em uma fase de transição, sentiram certa frustração. Essa inexplicável melancolia pode-se manifestar de várias maneiras —

da depressão pós-parto à crise da meia-idade. Ela pode também ser desencadeada pela perda do emprego, pela mudança de residência ou pelo divórcio, ou pode acontecer depois que se alcançar um objetivo muito almejado, como completar uma maratona, construir uma casa, concluir os estudos, planejar o casamento ou aposentar-se.

Se você se encontra nesse estado perturbador, provavelmente se sente aborrecida e confusa. Talvez anseie por dedicar sua vida a algum desafio. Talvez tenha entrado na vida adulta com grandes idéias de como poderia transformar o mundo, mas agora luta para entender o vazio, a frustração ou a sensação de inutilidade que restou. Provavelmente, não consegue calar algumas perguntas inquietantes que gritam no silêncio da noite:

- Amado Deus, qual é o meu lugar? Como posso ser útil? O que reservaste para mim?
- Será que alguém realmente precisa de mim? Minha vida faz diferença no mundo?
- Por que me sinto fracassada como cristã?
- Por que não me deleito mais com o ministério que exerço na igreja, com minhas responsabilidades familiares ou meu trabalho? Por que me sinto tão insatisfeita?
- Por que não sou feliz? Por que sinto tanto desgosto?
- Será que a vida se resume a isso? Será que é isso que Deus quer para mim?
- Quando meus sonhos e minhas paixões foram relegados a último plano?
- Se ouvisse o chamado de Deus, teria tempo e força suficientes para atendê-lo?

Se você já deparou com essas questões e anseia por algo melhor, saiba que há esperança. Deus revelará seu propósito e seu coração se alegrará com o que ele reservou para você! Ele quer que você diga: "Encontrei meu lugar. Estou em harmonia. É assim que minha vida deveria ser. Foi para isso que nasci. Que maravilha!". Ou, no caso de uma carreira profissional: "Nem acredito que sou paga para fazer isso!".

DESESPERADA POR RESPOSTAS

Permita-me contar-lhe um pouco mais sobre o início da minha busca por um sentido na vida. Naqueles dias terríveis em que imperava uma sensação de total inutilidade, eu e Beth, uma amiga de longa data, confidenciávamos nossas frustrações. Embora devotássemos nossa vida a Cristo, ao que parecia ele andava meio ausente (pelo menos, em nossa limitada perspectiva!). Assim, não tínhamos uma visão clara e oportuna do rumo que deveríamos tomar na vida. Almejávamos pelo momento em que Deus nos mostraria o caminho a seguir, pois sabíamos que ele podia fazê-lo.[2] Brincávamos dizendo que inventaríamos um "contador Geiger de propósitos", capaz de detectar até mesmo o menor sinal de atividade significativa em nossa vida.

Beth, que completara 50 anos há pouco tempo e cujos filhos já haviam saído de casa, descrevia-se como "uma mulher casada e acabada, que vivia em um pântano de mediocridade e estava sendo sugada pelas areias movediças da idade do cansaço". Eu me sentia mais perto do limite, como se esperasse alguém ou alguma coisa que jamais fosse aparecer ou acontecer — um encanador na véspera do Ano Novo, por exemplo.

Cada pessoa lida com esse tipo de angústia psicológica e espiritual de forma

> *Em todos nós, reside um anseio pelo Amor Sagrado [...] um coração ávido e ansioso pela transcendência, o desejo de fazer parte de algo maior que nós mesmos. [...] Almejamos de todo o coração participar de um propósito heróico com nossos semelhantes em mente e espírito.*[3]
> BRENT CURTIS E
> JOHN ELDREDGE

diferente, dependendo da gravidade. No meu caso, era desespero. Não sabia como obter uma orientação para minha jornada em meio às águas inexploradas do despropósito. Sabia apenas que não estava bem, nem mental, nem espiritualmente, e que precisava fazer alguma coisa, ou melhor, qualquer coisa, para sair daquele atoleiro. Sabia que precisava tomar uma atitude drástica, qualquer que fosse, para descobrir o que me aguardava.

Nunca imaginei que minha jornada começaria assim. Ganhei de minha mãe um filme em vídeo sobre a vida da Madre Teresa.[4] Assisti ao filme uma dezena de vezes, sempre chorando porque ele me tocava profundamente a alma. No filme, Madre Teresa diz que, se Deus me chamasse para servi-lo em determinada missão, sem sombra de dúvida eu saberia. Então, ela faz um convite para uma visita a Calcutá.

Levei o convite totalmente a sério e escrevi uma breve carta às Missionárias da Caridade na Índia, pedindo permissão para visitá-las. Sabia que esses anjos misericordiosos atendiam obedientemente ao chamado de Deus em suas vidas, pregando a Palavra aos mais pobres dos pobres, em um dos ambientes mais caóticos do mundo. Imaginei que, se trabalhasse ao lado de mulheres que vivem em total harmonia com Deus, descobriria o segredo para ouvir seu chamado. Se conhecesse as histórias fascinantes de como ele agira fielmente em sua vida, sem dúvida, compreenderia melhor o plano que ele tecera para mim.

Elas concordaram em me receber e comecei a planejar minha viagem a Calcutá. Uma das decisões que tinha de tomar dizia respeito a minha mãe que, na época, estava com 67 anos e insistia em me acompanhar. Eu não fazia idéia de como poderia protegê-la da malária, de assaltantes e de toda a confusão; mas não consegui dissuadi-la da idéia de ir comigo. Ela estava decidida a conhecer Madre Teresa a qualquer custo e dizia: "Vou, mesmo que minhas chances de conhecer essa santa mulher sejam quase nulas". Finalmente, cansei de tentar explicar que, provavelmente, não conseguiríamos nem mesmo ver de longe sua amada heroína. Ri, quando lembrei de um ditado que diz: "Quando não for um problema, é sua mãe!". Assim, meu ex-marido levou meus filhos para umas férias bastante antecipadas, e minha mãe e eu colocamos a mochila nas costas e partimos para uma viagem de dez dias que nos afetaria para sempre. Quando embarquei no avião, estava apreensiva e, ao mesmo tempo, animada. Não sabia se as respostas que encontraria no outro lado do mundo me agradariam. Em todo caso, estava feliz por ter uma companheira de viagem confiável e tranqüila como minha mãe. De certa forma, ela foi meu anjo de misericórdia, um verdadeiro tesouro de Deus, que me apoiou nessa tentativa de compreender minha nova vida.

> *Conseguiremos abandonar os caminhos conhecidos para seguir o menos percorrido? [...] A descoberta do destino nunca acontece simplesmente.*[5]
> BILL THRALL, BRUCE MCNICOL E KEN MCELRATH

PRIMEIRO PASSO: A ÍNDIA

Saindo do aeroporto, depois de uma série de vôos cansativos, pegamos um táxi. Meu coração disparava toda vez que o motorista desviava de riquixás, bondes, ônibus, táxis, vacas e pedestres. Sabia que Calcutá tinha uma população de 11 milhões de habitantes, e que mais de 60 mil deles eram sem-teto; essa noção, entretanto, não me preparou para a miséria que encontraria nas ruas. Vi barracos feitos de bambu, papel, plástico, barro, papelão e pneus. Vi mulheres juntando bolas de excremento de vaca para usar como combustível na cozinha. Observei crianças se refrescando ou tomando banho nas águas sujas das sarjetas. Minha mãe e eu nos entreolhamos espantadas, quando o motorista parou em uma ruela estreita perto da Congregação das Missionárias da Caridade.

Quando a porta do convento se abriu, fomos surpreendidas diante de um panorama totalmente diferente. Um grupo de noviças vestidas de sári azul e branco recebeu-nos e alegremente nos conduziu ao interior da casa. Mal recuperadas do susto, ouvimos uma das irmãs perguntar com simplicidade: "Gostariam de conhecer a *Mãe*?". Ficamos mudas. Ela nos levou ao andar superior.

A experiência foi, no mínimo, surreal. Descalça, Madre Teresa fez uma reverência e, em seguida, nos aproximamos. Era uma mulher pequena com ombros arcados, mas ali, parada diante de nós, parecia um gigante. Assim que a vi, lembrei-me de Isaías 61.3: "Eles serão chamados carvalhos de justiça, plantio do SENHOR, para manifestação da sua glória".

Minha mãe e eu tínhamos plena consciência da reputação do grande carvalho que era aquela serva e líder visionária e do seu trabalho com os leprosos e necessitados. Por isso ficamos surpresas quando ela nos convidou para sentar a seu lado em um precário banco de madeira na sacada do andar superior. Depois de nos acomodarmos, ela agradeceu termos ido até ali a seu serviço e os mantimentos que levamos para os órfãos. Conversamos por alguns minutos, mas não resisti e fiz uma pergunta que estava consumindo meu coração: "Como a senhora consegue trabalhar nessas condições miseráveis?".

Seu rosto lentamente esboçou um leve sorriso que iluminou seu olhar. Ela irradiava a bondade de Cristo quando pôs a mão em meu braço e sussurrou: "É pura alegria".[6]

Não sabia o que pensar. Como pode ser pura alegria trabalhar nas favelas? Certamente, tratava-se de algum enigma, ou seria essa a sábia resposta de um velho carvalho com raízes profundas? Imaginei se algum dia conseguiria entender o significado de suas palavras. Será que essa resposta era uma pista para a serenidade e orientação que eu buscava?

Para minha mãe, a viagem à Índia foi como um sonho realizado. Fiquei feliz por ela. Quanto a mim, concluí erroneamente que a pura alegria de Madre Teresa decorria do fato de ela ter um propósito claro e determinado na vida, e isso permitia que se *sentisse bem* diante da grande contribuição que oferecia aos necessitados. Nos dez anos seguintes, descobri que minha teoria estava errada. Tinha ainda muita coisa em que pensar, mas pelo menos o primeiro passo em direção a minha caminhada com propósitos estava dado.

SEGUNDO PASSO: FRANKL

Um ano depois da visita a Calcutá, estava assistindo a uma aula no curso de pós-graduação (rabiscando), quando o professor começou a falar sobre o Dr. Viktor Frankl, sobrevivente de um dos campos de concentração nazistas. Segundo ele, o Dr. Frankl deu uma injeção de ânimo nos companheiros prisioneiros que estavam a ponto de morrer de tanto desespero. Ele os ajudou a se apegarem a um propósito. Às vezes, ajudava-os a agüentar firme com o propósito de terminar uma pintura, de cultivar um jardim ou de abraçar uma pessoa querida quando voltassem para casa.

Meu radar interno, detector de propósitos, disparou com força total e me deixou paralisada na carteira como que atingida por um raio. Ouvi atentamente a explicação do professor sobre o papel vital que o propósito exerce no coração humano. E, embora ele nunca tenha feito menção ao Deus Criador como quem atribui um propósito a cada um de nós, eu sabia que minha busca era um fenômeno da natureza humana planejado por ele. Finalmente, meu anseio por um significado na vida fazia sentido. Eu não estava louca!

Deus *deseja* que as pessoas sejam guiadas por propósitos! Ele *espera* que busquemos uma definição para nossa existência e prestemos muita atenção quando ela nos é revelada. Em sua grande sabedoria, ele conferiu a cada uma de nós uma necessidade diferente de se sentir apreciada, importante e útil. Por mais que disfarcemos e tentemos esconder nossa inquietação quanto ao sentimento de despropósito, e mesmo que o mundo pense que temos tudo resolvido na vida, nosso anseio por um propósito não desaparece. Deixei meu lado investigador aflorar para poder ir além. Não sabia para onde Deus me levava, mas, quanto mais aprendia, mais me empolgava e queria que outros cristãos compreendessem seus propósitos. Comecei a colocar todas essas idéias desarticuladas no papel. Embarquei novamente na jornada do meu coração em busca de um propósito na vida.

Terceiro passo: Saddleback

Muitos anos depois da revelação que tive naquela aula, Deus orquestrou tudo para que eu e meus filhos começássemos a freqüentar a Igreja Saddleback. Soube que estava no lugar certo quando o pastor Rick Warren começou a falar sobre os propósitos de Deus para a igreja e para nossa vida. Quando já nos conhecíamos melhor, certo dia ele me disse que, assim como a maioria das pessoas, eu precisava fazer uma *transfusão de propósitos* regularmente para me sentir bem!

Hoje, graças ao que Deus me disse por meio da Palavra e do meu pastor, recebo minha dose diária de propósitos. Aprendi que os propósitos que ele designou para mim são os mesmos que os seus. Deus criou cada uma de nós para que nos relacionemos com pessoas, conheçamos a Cristo, a fim de nos tornarmos semelhantes a ele, sirvamos no ministério, exaltemo-lo com nossa vida e compartilhemos as boas-novas do evangelho. Quando entendi melhor esses propósitos, repensei cada aspecto de minha vida e entendi por que era uma honra investir em minhas atribuições diárias, por que julgava tão importante amadurecer espiritualmente e o que Deus me estava revelando sobre seu único propósito para mim na Terra.

Depois de considerar tudo o que aprendi nos dias passados em Calcutá, percebi que o propósito da vida segue um ciclo que depende de três ações: "fazer-ser-realizar" — *fazer* hoje o que Deus pedir que eu opere na família, na igreja e na comunidade; *ser* mais semelhante a Cristo; e, antes que eu morra, *realizar* a obra única e ousada que ele designou especificamente para mim! Partindo dessa verdade, cabe a mim — e a você — descobrir os pormenores emocionantes da realidade desse ciclo na nossa vida.

A VIDA SEGUE UM PROPÓSITO

Descobrir o propósito da vida não é nada fácil. Para muitas pessoas, inclusive para mim, é necessário ter muita perseverança e, não raro, um grande empenho. Além disso, não se trata de algo que possamos fazer bem sozinhas; sem dúvida, eu não teria conseguido isso sem a ajuda de minha irmã caçula, Maureen. Ela me ensinou a importância de trilhar um caminho válido até o fim, seja qual for a meta que se ponha diante de nós.

O que aprendi com ela, a princípio, em nada se relacionava com a busca de um propósito na vida; dizia, sim, respeito a minha condição física, mais especificamente à persistente flacidez que me atormentava desde minha última gravidez. Maureen cruzou a linha de chegada de 27 maratonas e três triatlos, participando até mesmo da famosa competição Ironman, que acontece no Havaí. Por esse motivo, pedi que fosse minha instrutora e me ajudasse a recuperar a forma.

Em nossa primeira sessão de exercícios, ela simplesmente me instruiu a intercalar caminhada e corrida em um determinado percurso. Comecei a fazê-lo regularmente, embora resmungasse e protestasse o tempo todo, até que consegui correr três quarteirões inteiros em um bom ritmo.

Então, Maureen disse: "Já que você consegue correr três quarteirões, devia participar de uma divertida corrida de cinco quilômetros". Assim, treinei bastante e cruzei a linha de chegada para provar a ela que eu também poderia ganhar uma camiseta.

Em seguida, ela me desafiou: "Se você consegue correr cinco quilômetros, devia tentar dez". Decidi incluir mais alguns quilômetros no nosso treino e nas competições, mas só porque gostava de sua companhia.

É fácil adivinhar o que aconteceu depois: "Se você consegue correr dez quilômetros, devia tentar meia maratona (cerca de 22 quilômetros)". E foi exatamente o que fiz, arrastando-me, só porque notei que estava perdendo peso (ao que todas as mulheres dizem: "Amém!").

Finalmente, participei de uma meia maratona com subida, embaixo de um sol escaldante de verão, e ganhei a medalha do segundo lugar. Quando o diretor da corrida anunciou meu nome e pendurou a medalha em meu pescoço, pensa que me importei com o fato de que, além de mim, só houvesse mais uma mulher na minha faixa etária participando daquela meia maratona? Imagine. Eu ganhei uma medalha!

Na verdade, corri um quilômetro e meio a mais depois da competição, tentando pegar minha irmã, que me provocou: "Se você consegue correr meia maratona na subida, embaixo de sol, devia tentar uma maratona completa (quase 43 quilômetros)". Acredite que, se pudesse alcançá-la, eu a teria feito engolir suas palavras. Para mim, bastava. Mas minha irmã não concordava. Armada de um plano estratégico e uma meta, ela estava determinada a me fazer participar de todas as etapas da competição. Não demorei muito a perdoá-la e também não consegui esquecer seu último desafio. Assim, com sua ajuda, pouco tempo depois participei de minha primeira grande maratona.

Foi extremamente difícil ultrapassar o quilômetro 30 e, depois disso, atingi a infame *barreira*, na qual as reservas de energia chegam ao limite:

- Km 33: suguei um Gatorade inteiro para recuperar a energia.

- Km 34: pedi para o público jogar água em mim.
- Km 35: meu estômago doía tanto de fome que chorei como um bebê.
- Km 36: minha mãe gritou: "Fale comigo... Melhor, não fale nada".
- Km 37: fiz um trato com Deus para que me ajudasse a completar a corrida.
- Km 38: pedi para minha irmã me empurrar.
- Km 39: estava cansada demais para reclamar.
- Km 40: gritei de raiva e de dor porque a corrida era pura loucura.
- Km 41: arrastei-me implorando para alguém me matar.
- Km 42: dei o arranque final até a linha de chegada com 3 horas e 59 minutos.
- Km 42,195: caí prostrada no chão depois da corrida e ri extasiada!

Apesar da minha experiência na *barreira*, essa e muitas outras maratonas das quais participei foram o ponto alto de minha vida. Atribuo grande parte do meu sucesso a minha irmã e treinadora, que conhecia muito bem o processo de treinamento em provas longas. Graças a seu conhecimento de cada etapa do processo e a sua capacidade de me inspirar, ela conseguiu me estimular (e empurrar) até que atingisse a meta.

A experiência de uma principiante que participa de uma maratona é bastante semelhante à de uma mulher que busca os propósitos de sua vida. Nos dois casos, para guiá-la ou acompanhá-la, ela precisa de alguém que conheça todo o percurso e que a prepare para os possíveis desafios e riscos que terá pela frente. Muitas mulheres não chegam a descobrir ou a cumprir seu grande propósito porque não conseguem encontrar ninguém que atue como sua mentora, orientadora, conselheira ou tutora cristã que as instruam em todas as etapas, a fim de que atinjam a marca do quilômetro seguinte.

Se você realmente quer acabar com a sensação de vazio, medo, tédio e falta de sentido na vida, permita-me ser a sua instrutora. Junte-se a mim nesta jornada e descobrirá que cada passo no processo de aplicar os propósitos de Deus em sua vida não é apenas estimulante, mas também divertido. Acompanhe-me e a levarei a um ponto do qual você terá uma clara visão da vida que o Pai celestial sempre planejou para você, um lugar em que sua vida é preciosa, seus relacionamentos são autênticos e há muita paz interior.

Não será uma manobra fácil, mas estaremos juntas e poderemos contar com Deus para nos mostrar o caminho da descoberta de seus desígnios diários e do grande e único propósito que ele concebeu para você. Se você sente que ele a está motivando a prosseguir, então, junte-se a mim nesta incrível aventura: a caminhada com propósitos.

Notas

[1]LifePlan é um projeto de dois dias de consulta particular, inspirada no Espírito Santo, dirigido a pessoas do mesmo sexo, em que a pessoa faz a seguinte pergunta a Deus: "Qual a tua vontade para a próxima fase e para a segunda metade da minha vida?" (consulte a segunda nota no capítulo 13 que cita o livro de Tom Paterson sobre o assunto).
[2]V. Salmos 143.8.
[3]CURTIS, Brent & ELDREDGE, John. *The Sacred Romance*. Nashville: Thomas Nelson, 1997, p. 19.
[4]*Mother Teresa*, um filme da Petrie Productions, Inc., de 1986. Produzido e dirigido por Jeanette e Ann Petrie. Narração de Richard Attenborough.
[5]THRALL, Bill; MCNICOL, Bruce; MCELRATH, Ken. *The Ascent of a Leader: How Ordinary Relationships Develop Extraordinary Character and Influence*. São Francisco: Jossey-Bass, 1999, p. 147. Copyright 1999 da Leadership Catalyst, Inc.
[6]Em uma conversa com a autora, na Congregação das Missionárias da Caridade, Calcutá, Índia, 1º de dezembro de 1987.

Capítulo 2

DEIXE O PASSADO PARA TRÁS

> *Esquecendo-me das coisas que ficaram para trás e avançando para as que estão adiante, prossigo para o alvo, a fim de ganhar o prêmio do chamado celestial de Deus em Cristo Jesus*
> (FILIPENSES 3.13,14).

Imagine que o alvo de sua caminhada com propósitos seja atravessar um grande rio que corta as montanhas. Contemplando o primeiro passo que daremos juntas, podemos vislumbrar os verdes campos e as paisagens inspiradoras na margem do outro lado. Sem dúvida, uma bela recompensa nos aguarda! Temos urgência em alcançar nosso destino, mas a correnteza é forte e há grandes depressões. Felizmente, Deus demarcou de maneira clara cada etapa nessa travessia para que possamos caminhar com segurança. Portanto, antes de darmos o primeiro passo e corrermos o risco de cair nas águas geladas, é melhor fazermos uma pausa e vermos se você está pronta para a grande aventura à sua frente.

Pare um momento e reflita sobre estas difíceis questões relativas ao ritmo de sua caminhada: *Posso assumir um ritmo acelerado, a todo vapor, neste momento? Estou física e espiritualmente preparada para deixar tudo o que ficou para trás e prosseguir, a fim de cumprir alguns ou todos os propósitos de Deus para minha vida? Seria melhor, por enquanto, assumir um ritmo mais lento? Devo-me empenhar para completar uma etapa de cada vez, mesmo que leve muito tempo, ou simplesmente acelerar o passo e fazer uma "sondagem do terreno" antes de continuar a jornada?*

O PRIMEIRO PASSO É DECISIVO

Se você estiver pronta para prosseguir, considere o primeiro passo extraído da passagem bíblica que abre o capítulo: *esquecer-se das coisas que ficaram para trás*. Pode ser que julgue essa primeira etapa um pouco estranha e, confesso, também julguei — mas Deus sabe o que faz. Ele sabe que o peso do passado poderá nos consumir se carregarmos uma mochila cheia de pedras e que isso nos impedirá de conquistar o grande prêmio. *Esquecer-se das coisas que ficaram para trás* é, de fato, uma grande dádiva de Deus. Vejamos por quê.

> *Aqueles que conseguem usar o passado, com coragem e honestidade, como uma ferramenta de aprendizagem e desenvolvimento, descobrem o caminho do viver autêntico. Esse é um estilo de vida que nos permite aceitar a nós mesmos como realmente somos, com todos os nossos defeitos e as nossas fraquezas.*[1]
> DR. JOHN TRENT

A ordem de esquecer, dada por Deus, é deliciosamente libertadora. Esquecer significa distanciar-se dos problemas e das tristezas. Você se livrará da culpa e da vergonha, o peso do remorso ou da amargura diminuirá e uma nova perspectiva surgirá em sua vida, pois você verá que *conseguiu* sobreviver e é muito mais forte do que pensava ser. Ganhará uma boa dose de esperança ao perceber que Deus sabe exatamente aquilo por que você passou e usará tudo isso na execução de seu plano para fazê-la cumprir os seus propósitos.

Esquecer o passado para prosseguir em direção ao futuro não é um ato simples e imediato — trata-se de um processo complexo. Os psicólogos dizem que não nos esqueceremos de nada (exceto pela perigosa repressão) se não experimentarmos algum tipo de cura. Portanto, antes de prosseguirmos com força total na caminhada com propósitos, precisamos transformar a cura em um projeto legítimo de vida durante um período de tempo. Não há nada de errado em atrasar a caminhada com propósitos para buscar a cura e deixar para trás tudo o que poderia sobrecarregá-la ou imobilizá-la nessa jornada. Se você está com uma ferida antiga e grave que continua aberta até hoje ou se suas emoções estão à flor da pele porque seu mundo virou de cabeça para baixo recentemente, examine cuidadosamente esse território desconhecido, mas *não* pare. Com a ajuda do Espírito Santo, enfrente a dor, o pesar ou o trauma que a está machucando. Este capítulo ajudará você a dar o primeiro passo. Não se preocupe com as etapas que virão depois; a cura é o maior propósito de sua vida agora.

OS RISCOS DE PULAR A PRIMEIRA ETAPA

Você pode se sentir tentada a pular a primeira etapa, esquivar-se de buscar a cura e deixar o passado para trás, por pensar que isso não é tão importante quanto a obra que Deus *realmente* quer que realize em seu nome. Se você pensa assim, tome cuidado! Você pode acabar entrando em um círculo vicioso de lições não aprendidas, problemas não resolvidos e pesares sem solução, e não se preparará psicológica, emocional ou espiritualmente para realizar qualquer missão importante que Deus venha a lhe atribuir. Sei disso porque foi exatamente o que aconteceu comigo.

Quando eu era mais jovem, não entendia por que era preciso reconhecer, resolver e curar as feridas do meu passado para poder esquecê-las. Julguei que podia simplesmente ignorar tudo e prosseguir. Tornei-me especialista na tática adotada pela personagem Scarlett O'Hara no filme *E o vento levou* para lidar com a realidade: "Amanhã pensarei nisso". Para mim, essa parecia uma boa idéia.

Ainda recém-casada, o peso da vida e o processo de negação começaram a me sobrecarregar. Meu marido, Gary, era um jovem e dinâmico investigador da polícia, que ganhara uma medalha por um ato de bravura, ao arriscar a vida para salvar um colega. Na placa que recebeu, estava gravado: "Desconsiderando totalmente a própria segurança, por seu heroísmo muito além do chamado do dever, por sua extraordinária bravura em face do perigo físico iminente [...]". Embora Gary se sentisse profundamente honrado por ser útil à força policial, seu trabalho deixava-me apavorada. Mas prontamente enterrei bem fundo minha preocupação e meu medo e comecei a trilhar a jornada da sobrevivência.

Aprendi a manter a calma no mundo de mocinhos e bandidos enfrentado por meu marido e, mais tarde, no trabalho que passou a fazer, sob disfarce, para a divisão de narcóticos. Meu lema, que considerava genial, era: *Sou a superesposa do superpolicial. Agüento qualquer coisa.* Era uma abordagem nada sofisticada nem bíblica para o estresse, mas eu era jovem e não fazia a menor idéia de que estava preparando o terreno para minha própria queda.

Então, em 1981, com 34 anos, enquanto cumpria seu dever, Gary teve um ataque cardíaco. Depois desse choque, ele enfrentou uma cirurgia de coração, colocou três pontes de safena e recebeu a aposentadoria forçada pelo departamento de polícia. Gary sentiu-se como se, de herói, tivesse se tornado um fracassado em apenas sete anos. O desemprego e a falta de dinheiro foram apenas alguns dos problemas que enfrentamos. Ficamos perplexos com a perda repentina do sonho que ele tinha — o de ser um grande policial —, pois todos sabiam que essa era sua grande paixão.

Para piorar a situação, um dos médicos disse: "Provavelmente, você terá de fazer outra cirurgia daqui a cinco anos". Assim, vi que meu marido se tornava o caso clássico da pessoa que vive com medo de morrer. Minha nova especialidade era a de animar a torcida. Senti que era minha obrigação alegrá-lo e manter tudo em ordem.

Mas nossa vida estava fora de controle. No ano seguinte, Gary teve um ataque cardíaco após outro; um de meus melhores amigos, um colega da faculdade na qual eu lecionava, e um de meus alunos preferidos faleceram. Meu sogro e minha mãe foram parar no hospital por causa de problemas cardíacos. Nossa casa foi inundada por meio metro de água. Em meio a tudo isso, fizemos várias visitas de emergência ao hospital. Lembro-me claramente de uma noite em que fiquei sozinha no hospital, esperando que os médicos ressuscitassem meu marido com choque elétrico depois de uma parada cardíaca. Nem tive tempo de ligar para nossos pais e, para completar, eu estava grávida do meu segundo filho. Mas, acontecesse o que acontecesse, eu sempre cuidaria de tudo porque essa era minha obrigação.

Contudo, depois do nascimento de nossa linda e saudável filha, não me saí muito bem. Em conseqüência de um problema não diagnosticado na tireóide, meus hormônios fizeram-me entrar em um processo de depressão profunda que durou muito mais do que o período normal da depressão pós-parto. Durante cinco meses, tudo o que fazia era sentar na "poltrona da mamãe" com meu roupão de banho cor-de-rosa, dormir e chorar. Às vezes, não conseguia nem sair da cama.

Escrevi em meu diário que estava vivendo um pesadelo, que caíra em um buraco sem fundo no centro da Terra, do qual não conseguia escapar. Às vezes, nem conseguia escrever. Apenas olhava para o ponteiro dos minutos do relógio, apática e arrasada, e implorava: "Ó, Deus, se ainda tiveres compaixão de mim, ajuda-me a agüentar mais um segundo".

Pedi a minha família e a meus amigos que orassem por mim, pois estava tão prostrada que mal conseguia orar. Sentia-me como uma boneca de porcelana prestes a rachar em mil pedaços. Em dado momento, cheguei a rabiscar, no verso do envelope de uma conta vencida:

> Estou sendo arrastada por um redemoinho para a escuridão de um abismo sem fim. Estou profundamente triste, com medo e confusa, sentada no escuro, exausta e sem esperança.

Mais tarde, durante minha lenta recuperação, escrevi:

> Senhor, tenho certeza de que não agüentarei nem mais um dia deste inferno na Terra. Nunca mais terei a força descomunal necessária para cooperar com teu esforço para me trazer de volta do mundo dos mortos. Se entrar novamente em um estado grave de depressão, quero que saibas que prefiro continuar emocionalmente morta ou simplesmente morrer de uma vez. Esta é a maior e a mais difícil provação que já enfrentei na vida.

Gostaria de poder dizer que tive uma rápida recuperação, assim que tomei as medidas necessárias para esquecer o desespero do meu passado e deixar tudo para trás, mas não foi isso que aconteceu. Na verdade, aprendi a viver em um estado de quase loucura. Já era boa nisso e, com o tempo, fiquei ainda melhor.

Nos anos que se seguiram ao meu divórcio, comprei um conversível vermelho, contratei uma pessoa para fazer compras, coloquei uma piscina no meu jardim, passeei pelo mundo, obtive vários diplomas universitários e aprendi a desempenhar o papel de "durona" em um cargo corporativo. Minha estratégia de fuga era: "Gaste muito, viaje muito, trabalhe muito e seja bastante perfeccionista para aliviar a dor". Evitava qualquer tipo de sofrimento porque ficava apavorada com a idéia de que cairia novamente em depressão. Além disso, uma mulher divorciada, com filhos e em estado de desequilíbrio pelo menos *sai* e faz o que é preciso fazer, enquanto a deprimida nem se mexe.

Hoje acho incrível, mas na época realmente julgava que pudesse descobrir o propósito de Deus levando aquela vida frenética! Não me ocorreu que meu propósito era, de fato, aliviar a dor que estava sentindo. Não fazia a menor idéia de que o peso do meu passado afetava cada dia da minha vida. Demorei anos para conseguir ouvir o chamado de Deus em meio ao burburinho e à confusão em que vivia. Mais adiante, na nossa caminhada com propósitos, contarei como, aos poucos, consegui esquecer o passado e prosseguir para o alvo para o qual Cristo me chamou. Por enquanto, quero que você entenda apenas que sou um exemplo vivo da graça de Deus. Nunca imaginei que ele pudesse usar ou que realmente aproveitasse um "caco" como eu para ajudar outras mulheres. Essa idéia ainda me parece absurda, mas é real e, por isso, sempre me sentirei grata e procurarei ser humilde.

> *Deus é especialista em transformar os "fracos" do mundo em almas fortes e belas. Para ele, a desolação não é um defeito, mas um caminho para uma espiritualidade mais profunda.*[2]
> JUDITH COUCHMAN

POR MAIS OBSCURO QUE SEJA O PASSADO, SEMPRE É POSSÍVEL PROSSEGUIR

É extraordinário como Deus age na vida de todo e qualquer cristão, por mais desolador e assustador que seja seu passado, tecendo cada fio de sua existência para realizar seu plano de edificar o Reino. Ele não se deixa intimidar por nossas feridas ou nossos fracassos, mas especializa-se em nos oferecer esperança, uma segunda oportunidade e a ressurreição. Neste exato momento, ele está a seu lado, equipando-a e incitando-a a se preparar para realizar sua obra na Terra.

Fui conselheira e aprendi a apreciar mulheres de fibra que conseguiram superar terríveis problemas e grandes tristezas. Eram mulheres de verdade que, em dado momento, precisaram loucamente de esperança. Enfrentaram o passado, entregaram-no nas mãos do Senhor e prosseguiram. Embora algumas sejam famosas, ricas ou profissionalmente bem-sucedidas, o que mais me impressiona é seu incrível testemunho de sofrimento, desolação e renovação.

Uma delas viu a neta de dois anos de idade morrer em consequência da AIDS depois de receber uma transfusão de sangue. Outra foi abandonada pelo marido que simplesmente deixou a aliança de casamento com um bilhete sobre o criado-mudo, dizendo: "Não posso mais viver com você". Uma amiga adolescente, pouco depois de receber a licença para dirigir, ao dar marcha a ré no carro, atropelou acidentalmente a irmã, ainda bebê, que acabou morrendo. Outra conhecida teve de segurar nas mãos o crânio rachado do filho, enquanto esperava a ambulância chegar ao local distante do acidente de carro no qual o filho acabou falecendo.

> *Ainda passo por péssimos dias, mas não me importo com isso, porque, antes, costumava passar por péssimos anos.*
> Anônimo

Essas mulheres enfrentaram corajosamente a agonia da vida e descobriram que Deus pode usar essas experiências para transformar um mal em bem. Visitaram as profundezas do inferno e sobreviveram para proclamar a todos que Deus nunca as abandonou, nem mesmo por um segundo. Testemunharam seu poder e sua graça, mesmo em meio às cinzas dispersas da desesperança. Espero que você encontre conforto na certeza de que, se Deus encontrou uma forma de usar a dor dessas mulheres e a minha dor para realizar seus propósitos, fará o mesmo com você.

Então, como vai a sua vida?

Quer você tenha passado por poucas tristezas na vida quer por experiências terríveis, *hoje* talvez enfrente dificuldades:

- Pode ser que viva em uma constante batalha contra os *aborrecimentos* da vida, como um chefe exigente ou estranhos e dispendiosos ruídos no carro.

- Talvez alguns problemas *crônicos* da vida ameacem sobrecarregá-la, como disciplinar um filho adolescente agressivo, orar por um marido não convertido, cuidar de uma criança portadora de uma necessidade especial, ou mesmo encarar os próprios temores.

- Talvez você depare com situações *inesperadas*, como receber uma ligação da sogra pedindo para ir morar com você, ou ouvir o médico dizer: "Sinto muito, mas é maligno"; receber uma carta da Secretaria da Fazenda exigindo o pagamento de impostos atrasados, ou um bilhete de sua filha dizendo que não pode mais criar os filhos, e, por isso, deixou-os em frente ao seu aparelho de TV.

- Sua batalha pode ser contra atos *pecaminosos* da vida, como adultério, dependência química ou agressividade.

- Seu desafio pode ser o de lidar com fatos *inomináveis*, como uma lembrança traumática de abuso sexual ou o desaparecimento de um filho.

Você não faz a menor idéia de como conseguirá esquecer as crises do passado e do presente, muito menos prosseguir. Talvez até fique aborrecida ao ler sobre a expectativa de Deus para que você faça exatamente isso. Mas, por favor, sejam quais forem as circunstâncias do seu passado ou do seu presente, apegue-se à esperança de que o Senhor está com você.

Todas as suas experiências, passadas e presentes, boas e más — conquistas, relacionamentos, esperanças, anseios, comportamentos, motivações, crenças espiri-

> *Tu conheces bem as perseguições que eu sofri. Contaste e recolheste num jarro todas as minhas lágrimas. Anotaste cada lágrima no teu livro*
> (SALMOS 56.8, BV).

tuais, auto-estima e personalidade — tornaram-na a pessoa que você é hoje. Deus decidiu usar em seu plano tudo o que faz parte de uma pessoa: sua mente, seu corpo e sua alma, seu passado e seu presente. Ele não precisa de uma calçadeira para acomodar esse plano às circunstâncias de sua vida. Ele tem total liberdade de ação. Você está disposta a tirar da sua mochila todas essas pedras? A tirar o excesso de peso do seu passado e a deixar que as antigas feridas cicatrizem? Então, prossiga. Deus deseja que você alcance a outra margem do rio para seu próprio bem, a fim de que um dia possa voltar e ajudar outras pessoas a fazerem o mesmo.

GUIA DO PEREGRINO PARA "DESEMPACOTAR" O PASSADO

As sugestões e as atividades descritas a seguir foram criadas para ajudá-la a deixar o passado para trás e a prosseguir, a fim de descobrir os propósitos de Deus. Leve o tempo que for necessário para concluir cada etapa; não ceda à tentação de tomar atalhos. Nesta jornada, os atalhos sempre terminam em um beco sem saída!

Registre sua dor

Ore, pedindo a Deus que a guie. Depois, registre os elementos negativos do seu passado, especialmente as lembranças mais dolorosas. Use qualquer diário ou bloco de notas para registrar essas informações. Independentemente da época em que a experiência dolorosa tenha ocorrido, se você ainda sofre com os efeitos, deve procurar uma solução a fim de se preparar para cumprir os propósitos de Deus para sua vida. Resolver o pesar ou a dor é indispensável. Diga a Deus que você deseja esquecer as preocupações do passado, que pretende que ele se apodere delas e a ajude a apagá-las da memória.

Se existe alguém a quem você precisa perdoar ou a quem precisa pedir perdão, faça todo o possível para reparar esse relacionamento e, assim, prosseguir. Dar um desfecho ao problema ajudará você a encontrar a cura. Assim que for curada, em seu próprio ritmo, de cada lembrança, risque-a da lista.

UM CONSELHO: Se seu problema for a perda de alguém ou depressão, ou se possui marcas profundas do passado, pode ser necessário buscar ajuda profissional para enfrentar e resolver essas questões. Comece admitindo essa dor para si mesma. Depois escolha um confidente sábio, que pode ser um pastor, uma líder da igreja, uma conselheira ou amiga experiente, que a ajude a encontrar a cura.

Lembre-se de um momento de cura

Pense em uma ferida, emocional ou física, de que tenha sido curada. Imagine o processo de cura como um território selvagem que já enfrentou, como escalar uma montanha ou atravessar um desfiladeiro. Pense na sensação assustadora dessa provação e lembre-se de que Deus a equipou para essa jornada. O fato de tê-la vencido é uma prova de que o poder divino age em você. Considere sua ferida nessa nova perspectiva da dor. Veja o quanto progrediu e anime-se.

Agora, repita o mesmo exercício com uma ferida emocional que gostaria de ver curada. Imagine o desafio a ser enfrentado e depois imagine a vitória que Deus lhe dará. Não se deixe abalar pelos obstáculos no trajeto, pois você já atravessou um território semelhante. Deus a ajudou a sobreviver antes. Permita que ele a ajude novamente.

Decida confiar em Deus com todas as forças

Decida, hoje, confiar que Deus possui um plano de usar o passado em seu proveito no futuro. Essa importante decisão requer força de vontade. É preciso *querer* para tomar a decisão de olhar para a frente.

Registre seu testemunho

Se você ainda não o fez, registre seu testemunho em aproximadamente três ou quatro páginas. Assim, verá se está fazendo algum progresso em busca da cura emocional. Acha difícil começar? Em uma página, descreva o que aconteceu em sua vida antes de conhecer Cristo ou desenvolver sua fé; em outra página, descreva a misericórdia de Deus e como ele a curou; na terceira página, escreva o que pensa sobre os propósitos que Deus tem atualmente para você. Depois, lembre-se de que o testemunho é uma declaração pública. Compartilhe-o com alguém!

Pergunte: a quem minha dor poderia transmitir esperança?

Estou certa de que agora você sabe que o ministério de ensinar aos outros sobre o propósito da vida toca intensamente minha alma. Deus curou meu interior, de forma poderosa, quando entendi que ele estava usando meu passado, até mesmo minhas angústias em relação à falta de propósitos, para ajudar outros. Vendo o grande fardo e as necessidades para que outras pessoas conhecessem a verdade sobre o plano de Deus, consegui libertar-me da paralisia emocional, da mentalidade de vítima e do pensamento negativo.

Por isso, eu a encorajo a escolher uma pessoa por quem você tenha grande empatia e que possa beneficiar-se com o relato de suas dificuldades e esperanças. Pergunte-se: "Quem ou que grupo de pessoas precisa conhecer a promessa de Deus de atribuir esses incríveis propósitos de vida?". Depois, sempre que tiver vontade de abandonar sua tarefa de cura pessoal, lembre-se das pessoas que por fim se beneficiariam com o progresso da sua jornada.

Cerque-se de pessoas confiantes

O exemplos positivos de outras pessoas podem ser influências poderosas em nossa vida; há várias maneiras de nos acercarmos dela. Procure alguém com quem gostaria de compartilhar seu tempo e atreva-se a convidá-la para um encontro. Além disso, reúna e leia os testemunhos de pessoas como: Catarina Lutero, companheira e auxiliadora; Joni Eareckson Tada, cuja persistência e cuja fé fizeram-na superar a deficiência física e a transformar-se em uma artista de destaque; Ruth Bell Graham, filha de médicos missionários na China, escritora e evangelista; Corrie Ten Boom, encorajadora nos campos de concentração e mensageira da misericórdia e do perdão de Deus; Carol Cymbala, que, mesmo em meio a obstáculos e falta de especialização, foi em frente e hoje dirige o coral Brooklyn Tabernacle Choir, com 275 integrantes; Henrietta Mears, educadora e escritora, cujos sonhos foram concretizados por meio da oração. As histórias dessas pessoas renovarão sua coragem e esperança.

> **LIVROS RECOMENDADOS SOBRE ESPERANÇA EM MEIO AO SOFRIMENTO**
> *10 meninas que mudaram o mundo*, Irene Howat[3]
> *Tu és fiel, Senhor*, Carol Cymbala[4]

ESTÁ NA HORA DE CONFIAR NOS PROPÓSITOS DE DEUS

Você está pronta para dar o seguinte passo em sua vida: *esquecer o que ficou para trás e prosseguir em direção ao alvo*? Em caso afirmativo, busque Deus e os propósitos que ele tem para você, usando os exercícios descritos neste capítulo. Olhe pela última vez para o passado. Agora, olhe para o outro lado do rio. Você *pode* prosseguir para o alvo e ganhar o prêmio do chamado celestial de Deus em Cristo Jesus.

Deus tem satisfação em transformar em bem o que antes era mal, pois é um pai amoroso e generoso. Ele sabe como reunir cuidadosamente todas as partes da vida de seus filhos para lhes dar esperança e propósito. Quer sua vida tenha sido destruída por uma tragédia quer seja repleta de alegrias, tudo o que importa agora é tomar a decisão de permitir que Deus opere em você tudo o que ele desejar. Acredite que ele usará o melhor e o pior do passado (e do presente também) de cada um para realizar os propósitos que tem para sua vida.

A primeira decisão que deve ser tomada no início da caminhada com propósitos é a de atender à oferta de Deus de usar o rico solo de sua vida. Ele está esperando sua resposta. Você está pronta para ser a mulher com propósitos e esperança que ele deseja que você seja? Não perca mais tempo. Uma jornada extraordinária a espera.

A SABEDORIA DE DEUS PARA A CAMINHADA

O EXEMPLO DE VIDA DE MARIA MADALENA: ESQUECER O QUE FICOU PARA TRÁS E PROSSEGUIR EM DIREÇÃO AO ALVO

Para aprender a lição de Maria Madalena, uma pecadora arrependida, leia Lucas 8.2 e João 20.1-18. Jesus expulsara sete demônios de Maria Madalena; no entanto foi exatamente com ela que o Mestre decidiu falar depois de sua ressurreição e a quem pediu que transmitisse uma mensagem aos discípulos. A história da misericórdia de Deus por ela é contada há séculos, como encorajamento a bilhões de pessoas em todo o mundo. Você deixará Deus usar seus sofrimentos, pesares, problemas, fracassos e pecados perdoados? Está disposta a deixar que seus antigos "demônios", impedimentos, desconfianças e sonhos destruídos dêem esperança a alguém? Em caso afirmativo, diga isso a Deus hoje mesmo.

QUESTÕES PESSOAIS DA CAMINHADA

1. Cite cinco fatos que provocaram em você pesar, sofrimento, mágoa, sentimento de rejeição ou de fracasso (por exemplo:

câncer, abuso sexual, falência, adultério, infertilidade, aborto espontâneo, aborto induzido, morte de um ente querido, desemprego, roubo, preconceito, catástrofe).
2. Como Deus usou um ou mais desses fatos para transformá-lo em bem?
3. Embora este capítulo enfoque basicamente fatos que talvez você queira esquecer e deixar de lado, Deus usa também suas vitórias ou recordações felizes no plano que elaborou para você. Cite cinco desses fatos (por exemplo: economizar dinheiro para custear a faculdade dos filhos, reatar um relacionamento rompido, cultivar um casamento sólido, criar os filhos com bons princípios morais, completar uma corrida em uma competição, abandonar um vício, ganhar uma bonificação, comprar um imóvel, viajar pelo mundo, discipular um cristão recém-convertido).
4. Como Deus usou um ou mais desses fatos para transformá-lo em bem?
5. Como uma combinação de acontecimentos das suas listas poderia ser usada para dar esperança a alguém?

NOTAS

[1]Reimpressão de *Life Mapping*. Copyright 1998 by John Trent, Ph.D., WaterBrook Press, Colorado Springs, Colorado. Todos os direitos reservados. Tradução livre.
[2]COUCHMAN, Judith. *Designing a Woman's life: A Bible Study and Workbook*. Sisters, Oregon: Multnomah, 1996, p. 91. Tradução livre.
[3]HOWAT, Irene. *10 meninas que mudaram o mundo*. São Paulo: Editora Vida, 2004.
[4]CYMBALA, Carol. *Tu és fiel, Senhor*. São Paulo: Editora Vida, 2002.

Parte II

Não
caminhe sozinha

O propósito divino da *comunhão* para você:
relacionar-se com as pessoas

Capítulo 3

FAÇA HOJE O QUE É IMPORTANTE

*Assim como me enviaste ao mundo,
eu os enviei ao mundo*
(JOÃO 17.18).

Se você decidiu prosseguir na caminhada com propósitos, então vamos! Respire fundo e dê o primeiro passo para atravessar o rio. Sim! É isso mesmo. Sei que não parece muito interessante nem convidativo, mas *fazer hoje aquilo para que Deus a trouxe ao mundo* é uma pedra firmemente encravada no leito do rio. Essa sólida rocha é um passo gigante que você dará na caminhada com propósitos. Mas saiba que, para muitas mulheres, essa etapa é bastante difícil.

Em geral, as mulheres tropeçam nessa pedra porque, na pressa de alcançar um propósito maior e mais profundo, tentam passar por cima dela. Isso é verdade especialmente para aquelas que têm uma vida difícil. As funções que desempenham são batalhas tão árduas e ingratas, que elas simplesmente gostariam de fechar o punho e gritar aos céus: "Chega! Agora, quero a parte boa e compensadora!". Elas estão muito cansadas e não conseguem ver que as funções por elas desempenhadas e que precisam ser cumpridas com urgência já trazem em si um propósito que glorifica seu Criador. Assim, não percebem que seus esforços diários são extremamente preciosos para Deus.

Esse é um passo monumental para as mulheres que se mostram céticas, porque elas não percebem que uma etapa simples como essa pode levá-las ao grande propósito de sua vida. Elas pensam: "Como pode haver alguma relação entre a maneira de eu lidar com minha rotina, minhas ingratas tarefas diárias, e o propósito empolgante, maior do que a própria vida, que me aguarda?". Não querem decepcionar-se alimentando falsas expectativas; por isso fecham-se em suas casas. Ironicamente, ao correrem para longe da correnteza, abandonam seus sonhos, suas paixões, seus anseios e suas esperanças.

Sei que as responsabilidades do mundo de hoje parecem não ter a menor relação com o propósito glorioso que você busca. Sei que a idéia de fazer apenas o que está diante de você agora não parece muito interessante. Mas pise firmemente nessa pedra. Saiba que, por mais difícil, incompreensível ou ingrata que possa parecer uma tarefa, a decisão de fazer, agora, somente aquilo que lhe cabe fazer, *está* intimamente ligada à empolgante missão que Deus planejou para você. Cumprir suas funções hoje, embora não seja nada emocionante nem sensacional, é o passo mais seguro e previsível que você pode dar rumo a um propósito fascinante no futuro.

Os valores de Deus hoje

Deus designou para cada uma de nós uma série de tarefas diárias específicas a serem cumpridas na família, na igreja, no trabalho e na comunidade. Ele pede também que cuidemos das questões atuais de nossa vida pessoal (nosso bem-estar mental, físico, emocional e espiritual). Embora não vejamos o valor dessas obrigações comuns, Deus está empenhado em usá-las para cumprir seus propósitos. Por isso, devemos aprender a confiar nele como o Senhor soberano de cada dia de nossa vida. Em vez de pensar: "A que tarefa extraordinária devo dedicar-me em nome de Deus?", diga: "O que Deus deseja que eu seja e faça, hoje, no meu universo cotidiano?".

É muito triste quando uma mulher não aceita como uma dádiva de Deus os propósitos mais óbvios de sua vida. Digo isso porque tenho plena consciência do que significa! Durante anos, sofri muito com essa experiência. Vivia pensando que *deveria* estar fazendo outra coisa. Sucumbi à idéia de que simples deveres, como trocar fraldas e cozinhar, eram monótonos e maçantes, em vez de se tornarem para mim atribuições divinas que visavam abençoar os que estavam a minha volta. Durante meus dias de "mamãe", implorava por uma tarefa heróica e significativa, sem me dar conta da importância daquilo que estava diante de mim o tempo todo.

Agora percebo que nossas experiências de vida são preciosas para Deus. A cada dia, ele considera nossa disposição e dedicação na realização de nossas tarefas habituais, para ver se podemos enfrentar os desafios únicos que ele se alegra em confiar aos que lhe são fiéis. Deus não pretende que você passe o dia esperando *uma única coisa* no futuro, quando há *tantas coisas* diante de seus olhos. Você nasceu para fazer diferença, seguindo os passos de Cristo, nas centenas de hábitos comuns, e não para ignorar ou evitar as oportunidades do presente em busca de um projeto maior e mais notável. Meu pai costuma tão bem recomendar: "Crianças, façam apenas os deveres de hoje".

> *Qualquer que seja a época da vida em que nos encontremos, ela apresenta oportunidades e desafios próprios para o crescimento espiritual. Em vez de desejar viver outro momento, precisamos descobrir o que o presente nos oferece.*[1]
> JOHN ORTBERG

Apesar do implacável tédio das tarefas rotineiras da vida, você encontrará bênçãos maravilhosas se fizer hoje aquilo para que Deus a trouxe ao mundo. Gostaria muito de ter tido maturidade suficiente, anos atrás, para ver que Deus me conferia um propósito a cada dia. Imagine, então, como teria sido agradável saber que ele sente grande prazer em exaltar a obediência das mulheres comuns que todos os dias o servem incansavelmente, mesmo quando estão cansadas! Que animador seria saber que Deus conhecia e compensaria as funções diárias do serviço a que eu me dedicava! Que alento seria saber que esses esforços importavam para ele! Quem dera eu pudesse amparar-me no conhecimento de que aquelas experiências faziam parte de seu plano de preparar meu caráter e minha fé a fim de me confiar uma responsabilidade maior no futuro!

Jesus esclareceu o que se pode entender por outra dádiva que Deus nos concede quando damos esse passo. Leia as palavras registradas em João 17.17,18: "Que o Senhor faça todos puros e santos, ensinando-lhes as suas palavras de verdade. Como o Senhor me enviou ao mundo, Eu os estou enviando ao mundo" (BV). Nessa oração, Jesus pede a Deus, seu Pai, que santifique (separe) seus seguidores para que façam a sua vontade no mundo, hoje, ajudando-os a crer na sua Palavra. Jesus sabe que, sozinhas, não conseguiremos valorizar nossas obrigações. Somente se aplicarmos a Palavra de Deus a cada dia, as situações rotineiras purificarão nossa mente e nosso coração. A Palavra de Deus revela o pecado, suscita o perdão, produz o arrependimento e inspira o desejo de ser puro e santo como Cristo. Ela nos consagra para as tarefas do dia-a-dia e os desígnios de Deus para nós no mundo.

Quando você perceber a importância de suas obrigações "comuns" aos olhos de Deus, entenderá que está navegando em águas perigosas! Identificará os vários aspectos nos quais não é como Cristo e descobrirá seus limites. Isso levará você a buscar a ajuda de Deus. Verá que, realmente, para cumprir suas tarefas neste mundo em constante demanda, é preciso ter sempre em mente o grande e eterno propósito de Deus de torná-la semelhante a Cristo. Você descobrirá que precisa viver em comunhão com Jesus Cristo e

> *Então eles responderam a Josué: "Tudo o que você nos ordenar faremos, e aonde quer que nos enviar iremos"* (JOSUÉ 1.16).

desejará adorar o único ser que pode ajudá-la a vencer seus desafios diários.

Assim que aprendermos a apreciar nossas preciosas obrigações de cada dia, começaremos a sentir os benefícios revigorantes da paz e do descanso. Quando começarmos a acreditar que Deus valoriza cada dia de nossa vida, poderemos parar de buscar os campos mais verdes de atribuições mais grandiosas e impressionantes. Poderemos esquecer tudo o que as pessoas dizem que deveríamos fazer. Poderemos repousar no conhecimento de que cada dia — sim, cada tarefa — está guardado em segurança no coração de Deus. Poderemos nos apegar aos sonhos que ele nos deu sobre o futuro sem a pressão de ter de realizá-los neste exato momento!

ENTÃO, QUAIS SÃO AS *SUAS* FUNÇÕES?

Depois de examinar melhor como Deus vê nossas atribuições diárias, vamos fazer um levantamento das funções que você desempenha atualmente. Você é filha, irmã, tia, sobrinha, prima, esposa, mãe, avó, chefe, funcionária, amiga ou vizinha de alguém? É estudante, voluntária na comunidade e/ou exerce um ministério leigo?

Percebe que cada uma dessas atribuições a torna uma importante missionária de Cristo? Missionária é a "pessoa que se dedica a pregar uma religião, a catequizar e a trabalhar para a conversão de alguém à sua fé".[2] O trabalho de missionária de Deus dá-se em um lugar específico: em casa, na igreja, no emprego, na escola, no bairro, no Estado ou na nação. Essa tarefa, realizada por meio do amor de Jesus em prol das pessoas, afeta qualquer circunstância imediata em que você esteja envolvida, seja um jogo de tabuleiro com os filhos, um trabalho escolar voluntário, uma candidatura à prefeitura, uma peça teatral na comunidade, um namoro ou uma campanha no Congresso Nacional. Como você avaliaria seu "*status* missionário" atual? Está feliz e satisfeita com o que tem feito ou não consegue ver seu verdadeiro valor? Se for esse o caso, você não é a única.

Para mim, por exemplo, foi difícil apreciar o valor e o mérito espiritual da maternidade. Quando levava meus filhos, e um verdadeiro regimento de crianças do bairro, para um passeio no zoológico, em um parque, na praia ou no Corpo de Bombeiros, sentia como se estivesse brincando, e não cumprindo uma tarefa importante. Quando lia para meus filhos, brincava de esconde-esconde ou desenhava com eles, sentia-me culpada por "estar à toa". Quando planejava as festas de aniversário, levava-os ao dentista, acompanhava-os até o ponto de ônibus ou ajudava-os a fazer o dever de casa, acreditava não ser nada demais, porque não produzia valor mensurável algum.

Naquela época, não conseguia ver a situação na totalidade. Às vezes, pensava: *será que meu empenho ou minha maneira de enfrentar as dificuldades agora tem valor em um plano mais amplo?* Outras vezes, julgava que importância era sinônimo de muito esforço. Minha frustração, não raro, transformava-se em uma auto-análise cruel de tudo o que fazia.

> Já descobriu sua missão? Normalmente, há várias maneiras de realizá-la: com seu cônjuge, seus filhos, seus pais e como cristão, vizinho, funcionário ou amigo.[3]
> JANE KISE, DAVID STARK E SANDRA HIRSH

Levei anos para descobrir que minha dedicação maternal tinha grande valor. Agora entendo que o investimento feito por mim na vida de meus filhos foi (e ainda é) importante. A criação dos filhos não é apenas uma responsabilidade, mas uma das funções que Deus conferiu à minha vida. Saber que estou no caminho certo com eles ajudou-me a valorizar os simples acontecimentos do presente. Mas que alívio! Hoje, aproveito ao máximo cada um desses momentos. Meus programas prediletos consistem em compartilhar uma refeição ininterrupta com meu filho e minha nora ou relaxar ouvindo minha filha cantar.

Se você é mãe, agradeça essa importante vocação que Deus lhe deu. A maternidade é uma santa atribuição. Não rogue por distrações. Em vez disso, mergulhe nas experiências do presente, valorize-as e tire o máximo proveito delas. No momento certo, Deus a guiará para diante e você verá a importância das tarefas simples de hoje no âmbito global dos propósitos de Deus.

Certamente, as mães não são as únicas mulheres que se podem sentir desorientadas, frustradas ou confusas diante das funções que desempenham no presente. Lori, por exemplo, é solteira e tem um ótimo emprego. Suas excelentes qualidades administrativas combinam perfeitamente com a responsabilidade de coordenar projetos para uma equipe de produção e de participar de reuniões de alto nível dentro da organização. Seus méritos pessoais condizem bem com os de seus colegas. No entanto, ela se sente estagnada e receia que seus sonhos de vida morram por abandono. Com freqüência, sente-se como se estivesse apenas "matando o tempo" em seu emprego atual, quando na verdade deveria contribuir significativamente, em tempo integral, para a vida dos idosos em sua comunidade.

Sejam quais forem as funções que você desempenha na vida, posso lhe garantir que, no futuro, Deus as usará para o bem. Ele me auxiliou em situações difíceis, como as de criar meus filhos sozinha, trabalhar fora, ser empresária e governanta para outros. Na verdade, embora não pudesse entender a exaustiva repetição e as infindáveis listas de afazeres naquela época, Deus estava me moldando em cada uma dessas situações.

> *Chega o momento em que você tem de explicar a seus filhos por que eles nasceram; isso é maravilhoso, se você tiver descoberto a razão.*[4]
> HAZEL SCOTT, PIANISTA DAS ÍNDIAS OCIDENTAIS

QUANDO É DIFÍCIL DIVISAR O PROPÓSITO

Uma coisa é descobrir que Deus nos conferiu vários pequenos propósitos, até mesmo nos dias mais comuns de nossa vida; realizá-los, no entanto, é outra história. Às vezes, quando nos esforçamos para buscar o propósito de Deus na engrenagem da rotina diária, acabamos nos desgastando. O que fazer, então? O que Deus pretende, exatamente, quando nossa vida sai do controle? O que devemos pensar quando o estresse parece nos derrubar a cada curva?

Deixe-me contar-lhe mais sobre minha história. Talvez você se identifique com algumas das incertezas e a confusão que experimentei durante um período especialmente difícil da minha vida.

Tudo começou em 1990, quando meu ex-marido passou por outra cirurgia para colocar quatro pontes de safena e, dias depois, faleceu. Fiquei completamente atordoada. Ele era um ótimo pai e um "ex" extremamente gentil (sei que parece um paradoxo, mas é a pura verdade).

Nada na minha vida foi tão difícil quanto cumprir a responsabilidade de contar a meus filhos que o pai nunca mais voltaria para casa, que se tinha juntado a Jesus no céu. Sentei-me na sala do diretor da escola em que meus filhos estudavam. Estava desorientada, esperando minha filha, que cursava a terceira série, e meu filho, a quinta, saírem da classe. Tentava imaginar como poria em palavras meus profundos sentimentos. Como poderia dizer-lhes o quanto lamentava o sofrimento deles com a perda do pai, se eu mesma nunca havia passado por aquilo?

Decidi esperar três meses e curtir a tristeza profunda que sentia, a fim de me preparar emocionalmente para dar apoio a meus filhos. Entretanto, sem o menor aviso e contra a minha vontade, uma depressão moderada começou a me rondar como uma nuvem negra e carregada. Não entendia como um período tão sombrio poderia servir de alguma forma a um bom propósito. Sabia que precisava tomar as medidas necessárias, antes que a depressão tomasse conta de mim a ponto de me tornar incapaz de reagir a ela.

Um ano depois da morte de meu ex-marido, fui demitida em razão de uma reestruturação na empresa. Embora os gerentes tenham sido gentis e extremamente cuidadosos ao me dar a terrível notícia, tudo o que pude pensar foi: "Funcionário bom e fiel, você está despedido! Vá para casa! Aqui está seu último pagamento e o telefone de sua nova grande amiga: a agência de recolocação profissional". Tive vontade de gritar: "Vou para casa quando bem entender!".

A perda do emprego abalou meu mundo porque, naquela época, sustentava meus filhos sozinha. Além disso, meses antes, desavisadamente, comprara uma casa nova sem primeiro me desfazer da outra. Pensei que seria fácil vendê-la e, é claro, não imaginara que receberia aquela comunicação infame do Departamento de Recursos Humanos. Infelizmente, não podia simplesmente levar a casa ao balcão de atendimento ao consumidor e dizer: "Gostaria de devolvê-la. Já tenho uma casa".

O desemprego reforçou as perturbadoras questões relativas ao verdadeiro propósito de minha vida. Isso foi, também, um golpe para o meu ego, porque ocupava um cargo de relações públicas relativamente tranqüilo e muito bem remunerado. Era paga para conversar. Um longo dia de trabalho para mim significava aprovar os leiautes de um relatório anual de acionistas, ir de helicóptero para um almoço executivo com o presidente da empresa e entreter eleitores levando-os a um balé à noite.

> Dê vazão à dor e às emoções até que todas se esgotem. Não existe uma fórmula mágica.[5]
> STANLEE PHELPS,
> CONSULTORA EXECUTIVA
> DE RECOLOCAÇÃO
> E MINHA "NOVA
> GRANDE AMIGA"

Para piorar as coisas, perdi o emprego dezoito dias antes do Natal, casualmente no dia do aniversário do ataque a Pearl Harbor. Era como se minha pequena "ilha profissional" tivesse sido bombardeada exatamente quando ia dizer aos meus filhos: "Feliz Natal, crianças!".

Se você já passou por adversidades semelhantes, sabe que o verdadeiro desafio está em ver que problemas como esses parecem nunca ter fim. Obviamente, sabemos que as circunstâncias sempre acabam mudando; mas, se já é difícil enxergar a luz no fim do túnel quando se está no meio do caminho, quanto mais contemplar um propósito ou sentido em tudo isso.

Nos catorze longos meses em que fiquei sem emprego, a infindável monotonia de algumas tarefas básicas, como limpar a casa e cozinhar, deixava-me extremamente irritada. Devo concordar com a comediante Phyllis Diller, que afirmou: "Arrumar a casa com filhos pequenos é como limpar a calçada enquanto ainda está nevando". Qual era o sentido de tudo aquilo? Queria fazer alguma coisa útil na minha vida!

Olhando em Retrospecto

Anos mais tarde, as pressões da vida começaram a diminuir um pouco. Abracei um período bastante estável quando pude refletir melhor sobre o programa de Deus em cada uma das situações complicadas pelas quais passei. Os verdadeiros propósitos de minha vida ainda não estavam claros para mim; eram peças soltas de um quebra-cabeça, mas já dava para ter uma vaga idéia do que me aguardava. Essa imagem garantia que Deus tinha um plano, o que me dava esperança.

Ao olhar retrospectivamente, percebo que Deus me concedeu várias atribuições importantes em minha vida, durante os 20 anos que acabei de descrever para você. Meu primeiro e mais importante propósito era o de conhecer a Deus intimamente e descobrir que eu tinha valor porque ele me criara, e não por causa do que eu fazia. Meu segundo propósito era ser boa esposa e mãe e ajudar a criar nossos filhos da maneira mais sagrada possível. Além disso, devia ser uma boa filha, irmã, parente, amiga, funcionária, membro e voluntária da igreja, vizinha e aluna de pós-graduação.

Mal sabia que Deus atribuíra um propósito distinto a cada uma de minhas funções e aos fatos que acorriam em minha vida. Nunca imaginara que aquelas experiências difíceis me dariam a base de que eu precisaria mais tarde para servir outros. Jamais pensei que Deus talharia em meu caráter qualidades como humildade, lealdade, paciência e misericórdia. Não fazia a menor idéia de que esses anos de amadurecimento estavam preparando-me para que pudesse oferecer a outras mulheres a mesma esperança que Deus me concedera quando me ensinou a viver um dia de cada vez.

Será que, anos atrás, estaria pronta para receber de Deus a árdua tarefa que causaria grande impacto em minha vida? Embora, na época, pensasse que sim, hoje a resposta é: "Não, claro que não!". Agora sei que tudo de mais importante que acontece na vida, com freqüência, é desafiador e terrível e, quase nunca, divertido. Sou muito grata por Deus jamais desperdiçar uma ferida. Ele usa todas as nossas dores para nos preparar, em coração, mente, corpo e alma, para recebê-lo e adorá-lo. Na lida do dia-a-dia, comecei a ganhar sabedoria e força para viver os grandes propósitos da vida ao lado de Deus. Comecei a aguardar a mesma bênção da qual falou o profeta Jeremias:

> Bendito o homem [e bendita a mulher] que confia no SENHOR e cuja esperança é o SENHOR. Porque ele [ela] é como a árvore plantada junto às águas, que estende as suas raízes para o ribeiro e não receia quando vem o calor, mas a sua folha fica verde; e, no ano de sequidão, não se perturba, nem deixa de dar fruto.[6]

Deus usou minha dor, a batalha contra a depressão e a perda do emprego para me levar a sentir empatia por mulheres tomadas pelo desalento e pelo desespero, por mulheres que haviam passado pela loucura de cada dia ou por crises terríveis. É um privilégio poder confortá-las enquanto elas percebem, priorizam, apreciam e avaliam a obra que Deus programou para que realizassem no presente e no futuro. Sinto-me muito abençoada e útil ao ajudar uma mulher a economizar seu tempo e suas lágrimas. Quem, senão Deus, poderia orquestrar tamanha bondade e propósito com as experiências dolorosas do passado?

Sejam quais forem as funções que desempenhe: de avó viúva, garçonete divorciada, dedicada pesquisadora do câncer, missionária mal remunerada, comissária de bordo aposentada, pós-graduada deprimida, oficial de condicional que permanece solteira, ou motorista escolar desprezada, ouça as instruções de Deus. Embora prefira que ele estampe em sua testa todos os seus propósitos, atuais e futuros, Deus sabe que você pode descobri-los por si mesma. Ele quer que você aceite o conselho do apóstolo Paulo: "Se vivemos pelo Espírito, andemos também pelo Espírito".[7] Ele espera que você siga a jornada da vida e cumpra seus propósitos diários acompanhada pelo Espírito Santo, que guiará seus passos.

> *É como um homem que sai de viagem. Ele deixa sua casa, encarrega de tarefas cada um dos seus servos e ordena ao porteiro que vigie* (MARCOS 13.34).

Creio que, mesmo em meio à nossa simples rotina, Deus revela pistas sobre as tarefas que entregou a nós. A Bíblia aponta: "Deus deu a cada um de vocês algumas capacidades especiais; estejam certos de as estarem utilizando para se ajudarem mutuamente, transmitindo aos outros as muitas espécies de bênçãos de Deus".[8] Portanto, Deus já a abençoou com dons espirituais, capacidades, talentos e habilidades naturais. Quer seu dom seja ensinar, liderar, nutrir, desenhar, cantar, construir, analisar, pesquisar, motivar, organizar, escrever seja fazer outra coisa qualquer, Deus criará situações para usar esse dom com o objetivo de ampliar seu Reino. É por isso que as Escrituras nos aconselham a usar nossos dons de acordo com a graça que Deus nos deu.[9]

Suas funções diárias são oportunidades incríveis de usar seus talentos naturais e espirituais para ajudar familiares, amigos e vizinhos a conhecerem a Cristo e a se tornarem mais semelhantes a ele. Decididamente, Deus infundiu essas qualidades em você para ajudá-la a compartilhar a mensagem divina no seu universo cotidiano. Quando você dedicar seu coração e talento para agir em harmonia com as funções atuais designadas por Deus, passará a dizer: "A vida é boa. Nunca me senti tão realizada. Obrigada, Senhor, por me dar tarefas tão importantes. Por que encontrei tanta graça a teus olhos?".

MULHERES DA BÍBLIA COM PROPÓSITOS

Deus infundiu propósitos na vida das mulheres sobre as quais lemos na Bíblia. Eu sempre quis saber se elas tinham consciência da importância das incríveis atribuições de sua vida. Agora, tenho certeza de que elas estavam apenas cumprindo seu dever e sendo obedientes a tudo que Deus lhes apresentava a cada dia. Algumas tinham atribuições em casa, no trabalho, na congregação ou na comunidade. Ao ler mais sobre elas, pense nas obras que realizaram graças à sua fiel submissão à vontade de Deus.

Maria, mãe de Jesus, juntou-se a outras mulheres na primeira reunião de oração já registrada.[10]
Ana, uma profetisa, foi a primeira testemunha dos judeus.[11]
Maria Madalena foi a última a deixar a cruz,[12] a primeira a chegar ao sepulcro[13] e a primeira a proclamar a ressurreição.[14]
Lídia, uma comerciante, foi a primeira a cumprimentar os missionários cristãos, Paulo e Silas, na Europa, e a primeira convertida naquele continente.[15]
Maria de Betânia foi homenageada por Cristo.[16]
Débora era juíza.[17]
Rute foi uma nora dedicada e empreendedora.[18]
Ana era a mãe de Samuel.[19]
Abigail ficou conhecida como a primeira oficial de relações-públicas.[20]
A sunamita foi uma amiga hospitaleira para Eliseu.[21]
Isabel era a mãe de João Batista.[22]
Joana foi ajudante de viagem de Jesus.[23]
Susana foi auxiliar financeira de Jesus e seus discípulos.[24]
No poço, a samaritana passou a ser chamada de evangelista.[25]
Dorcas foi uma costureira benevolente e líder de igreja.[26]
Febe foi serva da igreja.[27]
Priscila foi colaboradora de Paulo.[28]
Raabe era prostituta, mas demonstrou fé em Deus quando acolheu os espiões israelitas em Jericó.[29]

GUIA DE VIAGEM PARA FAZER HOJE O QUE É IMPORTANTE

As sugestões descritas a seguir ajudarão você a começar a cumprir seus propósitos para hoje e, assim, descobrir o grande propósito de Deus para sua vida. Leve o tempo que for necessário para executá-las e resista à tentação de enveredar por atalhos!

Priorize suas funções

É difícil encontrar um propósito sem antes definir algumas prioridades. Portanto, pare um momento para considerar suas funções mais importantes e priorizá-las em sua mente, coração e programação. Assuma hoje o compromisso de viver, tanto quanto possível, priorizando suas atividades segundo a lista:

- Qual é a função mais importante que você desempenha na vida?
- Qual é a segunda função mais importante?
- Qual é a terceira função mais importante?
- Qual é a quarta função mais importante?
- Qual é a quinta função mais importante?

Cuide bem da saúde

Se você pretende colaborar totalmente com Deus, deve cuidar do templo físico em que vive. Pergunte a si mesma: "Estou me exercitando, me alimentando corretamente, dormindo bem, bebendo bastante água e aproveitando bem minhas pausas e folgas?". Se a resposta for não, cite três coisas que você poderia fazer para cuidar melhor de si mesma nos próximos 30 dias.

Não entre em pânico

A vida não é justa. Vivemos em um mundo decaído. Os tempos difíceis são inevitáveis — mas não entre em pânico! Mesmo os mais elevados propósitos de Deus podem ser extremamente difíceis ou completamente extenuantes durante certo período. Pense nisso por um momento. Existe um propósito mais elevado para uma mulher do que cuidar de um parente com uma doença em fase terminal? No entanto, quem exerce uma função como essa está sujeito a sofrer um grande pesar.

Sejam quais forem as funções que você exercer ou as dificuldades que enfrentar, saiba que Deus não a abandonará e ficará ao seu lado. Conte com ele para ajudá-la a superar esses momentos. Que função ou tarefa faz você entrar em pânico? Como você pode depender de Deus para ganhar força nessa situação?

Aproveite cada momento

Não perca o espetáculo diário da vida esperando a chegada do circo e do *show* de mágica! Que espetáculos você costuma perder? Pense no que poderia fazer para aproveitar esses momentos.

LIVROS RECOMENDADOS SOBRE AS FUNÇÕES DA VIDA

Professionalizing Motherhood [Profissionalizando a maternidade], de Jill Savage[30]

The Search for Significance [Em busca de um significado], de Robert McGee[31]

ESTÁ NA HORA DE FAZER HOJE O QUE É IMPORTANTE

Deus não tenta esconder de você o que ele deseja. Ele quer usá-la onde você está hoje a fim de prepará-la para o futuro. Cabe a você tomar a iniciativa de dedicar-se às suas funções com diligência e ficar atenta aos sinais que Deus colocou estrategicamente no caminho para indicar o rumo a ser tomado. Ele quer revelar seu plano por meio da leitura, do estudo e da meditação na Palavra, bem como da oração, de sermões e de conversas com outros cristãos. Ele a guiará, passo a passo, no caminho que traçou, se seguir na direção dele. Está pronta para dar o próximo passo na direção de Deus e de seus propósitos? *Fará hoje aquilo para o qual Deus a trouxe ao mundo?*

Por favor, entenda que algumas mulheres só percebem o milagre do qual participaram visto em retrospectiva. Elas só descobrem a função que exerceram na história depois que o fato ocorreu. Não sei dizer por que Deus orquestra essas missões secretas. Elas não são a norma, mas acontecem.

Entretanto, se você for como a maioria das mulheres fiéis a suas funções diárias, chegará o momento em que o telefone tocará, o *pager* soará, uma carta ou *e-mail* chegará, alguém baterá à sua porta ou Deus usará outro método para revelar-lhe a visão suprema que ele tem para sua vida. Quando ele decidir ampliar suas funções diárias atuais ou abrir seus olhos para uma visão de maior alcance, seu coração parará por um instante, mas não se preocupe! Não precisa chamar uma ambulância! É a reação normal de quem dá um passo gigante à frente.

A SABEDORIA DE DEUS PARA A CAMINHADA

O EXEMPLO DE VIDA DE LÍDIA: FAÇA HOJE AQUILO PARA O QUAL DEUS A TROUXE AO MUNDO

Para aprender a lição sobre como abraçar suas funções atuais na vida, leia sobre Lídia, em Atos 16.11-15, 40. Lídia era uma comerciante bem-sucedida e conhecida em muitas cidades próximas e distantes por vender tecidos de púrpura e tecidos tingidos a várias famílias, entre as quais a família real. Era uma mulher temente a Deus. Depois que ouviu Paulo pregar, foi batizada e tornou-se a primeira cristã convertida de toda a Europa! Lídia abriu as portas de sua casa a Paulo e a outros novos discípulos de Jesus naquele lugar. Assim como Lídia, você está disposta a abraçar as atribuições diárias de sua vida, como administradora do lar, mulher de negócios, líder de ministério, ou para exercer outra função?

QUESTÕES PESSOAIS DA CAMINHADA

1. Você desempenha muitas funções em seu círculo social mais próximo e em seu âmbito de influência. Faça uma breve e criativa descrição de si mesma no exercício de algumas dessas funções. A seguir, divido com você um parágrafo sobre minha própria vida. Eu o escrevi como exemplo. Divirta-se com o exercício!

Quem sou eu?

Sou uma cristã em desenvolvimento que tem seus bons e maus dias. Sou uma filha que está aprendendo a se relacionar com o pai, agora que minha mãe é falecida. Sou uma boa amiga para minhas sete irmãs, uma orientadora de grupo de apoio confiável e uma devota experiente. Sou uma tia que acredita que seus 20 sobrinhos e sobrinhas são incríveis e maravilhosos, tanto agora como em todas as fases da vida. Sou uma grande amiga para algumas mulheres. Sou uma pessoa introvertida que precisa temperar os relacionamentos com a solidão. Uma vizinha tímida e reservada. Sou uma nadadora iniciante; sou uma estudante de seminário. Sou uma empresária orgulhosa por ter fracassado pelo menos uma dúzia de vezes. Sou uma ex-esposa que se reconciliou totalmente com o "ex". Sou membro da equipe da igreja, escritora e palestrante. Crio meus filhos sozinha e sou uma sogra que agradece o fato de ainda não ser avó! Mas não sou cozinheira, nem jardineira, nem decoradora de interiores. E acredito que agora posso dizer que não sou mais uma maratonista!

2. Escreva sobre outros papéis criativos que possa ter em mente. Eis alguns exemplos das diversas funções que você possa exercer: gerente financeira da família, encarregada da logística familiar, supervisora da TV, curadora da herança e das tradições familiares, chefe de cozinha e esterilizadora de mamadeiras.

3. Você ficou surpresa ou impressionada com a quantidade de funções que está tentando desempenhar?

Notas

[1]Ortberg, John. *The Life You've Always Wanted*. Grand Rapids: Zondervan, 1997, p. 59 [*A vida que você sempre quis*: e que Deus sonhou para você, Editora Vida, 2001, p. 65].

[2]Houaiss, Antonio. *Dicionário Houaiss da Língua Portuguesa*, Rio de Janeiro: Editora Objetiva, 2001.

[3]Kise, Jane; Stark, David; Hirsh, Sandra. *Life Keys*. Minneapolis: Bethany House, 1996, p. 209.

[4]Tradução livre de trecho do livro *The Quotable Woman: Witty, Poignant, and Insightful Observations from Notable Women*. Philadelphia: Running Press, 1991, p. 72.

[5]Conversa com a escritora em março de 1992. Stanlee Phelps é autora do livro *Assertive Woman*, 3. ed. San Luis Obispo, Califórnia: Impact, 1997. Atualmente, é vice-presidente executiva e instrutora master sênior da Lee Hecht Harrison.

[6]Jeremias 17.7,8, ARA.
[7]Gálatas 5.25.
[8]1Pedro 4.10, BV.
[9]V. Romanos 12.6.
[10]V. Atos 1.14.
[11]V. Lucas 2.36-38
[12]V. Marcos 15.40-47.
[13]V. João 20.1.
[14]V. Mateus 28.1-10.
[15]V. Atos 16.13,14.
[16]V. Mateus 26.13.
[17]V. Juízes 4—5.
[18]V. Rute 1—4.
[19]V. 1Samuel 1.20.
[20]V. 1Samuel 25.32-35.
[21]V. 2Reis 4.8-10.
[22]V. Lucas 1.57.
[23]V. Lucas 8.1-3.
[24]V. Lucas 8.1-3.
[25]V. João 4.28,29.
[26]V. Atos 9.36.
[27]V. Romanos 16.1,2.
[28]V. Romanos 16.3.
[29]V. Hebreus 11.31.
[30]Savage, Jill. *Professionalizing Motherhood*. Grand Rapids: Zondervan, 2002.
[31]McGee, Robert. *The Search for Significance*. Nashville: W Publishing Group, 2003.

Capítulo 4

AME OS OUTROS COMO JESUS AMA VOCÊ

> *Por isso Eu estou dando a vocês agora um novo mandamento — amem-se tanto uns aos outros quanto Eu amo a vocês. Esse profundo amor que vocês tiverem uns pelos outros provará ao mundo que vocês são meus discípulos*
> (JOÃO 13.34,35, BV).

Talvez você julgue esta etapa na trilha da caminhada com propósitos muito mais interessante que a anterior. Trata-se de uma pedra antiga e muito batida: *amar os outros como Jesus ama você.* Todo verdadeiro seguidor de Jesus em busca do propósito supremo de Deus acaba topando com ela e ganhando segurança para prosseguir. Não existe nenhum outro meio de atravessar o rio.

Esse passo pode ser dado com mais facilidade pelas pessoas "expansivas"; mas, seja qual for a sua personalidade, seria bom que você se demorasse nessa etapa e não sucumbisse à tentação de logo partir para a próxima depois de alcançá-la. As mulheres que já demonstram seu amor pelos outros, ou as que confessam preferirem não ter de aprender a fazer isso, são as mais propensas a prosseguir prematuramente.

Permaneça nessa etapa o quanto for necessário. Leve o tempo que precisar para garantir que seu coração e sua mente aprendam definitivamente a amar os outros como Jesus ama você. Aprender a amar como Jesus é um dos propósitos mais importantes na vida. É essencial para cumprir todos os outros propósitos que Deus planejou para você.

Pense nisso por um momento. Você julga que Deus desejaria que você servisse outros sem amor? Que Jesus pediria que você compartilhasse o evangelho sem amor? Como seria possível crescer espiritualmente, tornar-se semelhante ao nosso amado Salvador, sem antes crescer em amor? Não se apresse nas coisas boas. O ato de aprender a amar os outros vale todo o investimento que puder fazer.

Sinto um pouco de vergonha em admitir que passei seis longos anos nessa etapa! Durante esse período, pedia a Deus que me tornasse uma pessoa mais "amável". Dia após dia, orava: "Senhor, ajude-me a gostar das pessoas". E, dia após dia, esperava, mas nada acontecia. Passaram-se anos e nada aconteceu. Como você logo verá, eu não sabia o que realmente significava amar os outros. A boa notícia é que Deus não me abandonou. Ele continua a atender à minha oração e a me ajudar a amar profundamente todos os tipos de pessoas.

A LIÇÃO QUE NUNCA DEIXAMOS DE APRENDER

Antes de examinarmos como é possível crescer em amor, é melhor entendermos o que significa amor cristão. Como Jesus amava? Como podemos imitar seu amor? Que amor é esse que somos chamadas a compartilhar tão abertamente? Esse amor requer que nos envolvamos profundamente com as pessoas e desfrutemos sua companhia? Isso implica encontros calorosos e camaradagem? Significa compartilhar as alegrias, aproveitar os bons momentos e nos divertir?

Embora possamos apreciar essas experiências compensadoras nos relacionamentos afetivos, os privilégios da amizade e do amor não são o cerne nem a essência do amor cristão. Jesus descreveu o fundamento do amor quando disse: "Como o Pai me amou, assim eu os amei [...]. O meu mandamento é este: Amem-se uns aos outros como eu os amei. Ninguém tem maior amor do que aquele que dá a sua vida pelos seus amigos".¹ Depois ele fez exatamente isto: deu sua vida por nós. Ele abriu mão de tudo o que era e de tudo o que tinha para fazer uma única coisa: providenciar todas as coisas para que passemos a eternidade com Deus. Portanto, amar os outros significa dedicar-se a ele, investindo em seu bem-estar diário e eterno. É um grande chamado. Você deve estar imaginando se está disposta ou até preparada para enfrentar esse desafio.

Jamais podemos nos esquecer de que o chamado para amar os outros como Jesus nos ama não é apenas uma sugestão agradável, mas um preceito bíblico. Jesus nos apresentou o que chamou de novo *mandamento* em João 13.34,35 — a passagem que abre este capítulo. Ele diz que nosso amor pelo próximo é uma mensagem poderosa ao mundo que nos cerca. Ele testemunha o amor de Deus e é uma prova do nosso compromisso com Cristo.

O amor pelo próximo sempre será uma etapa de crescimento para nós. Por mais saudáveis e afetuosos que sejam nossos relacionamentos, o amor exemplar de Cristo tem sempre algo a nos ensinar. As mulheres que se declaram discípulas de Cristo têm a vocação e o privilégio de poder ganhar mais entendimento sobre o amor extremo e incondicional de Jesus. É um desafio e uma honra nos empenharmos deliberadamente para atingir essa meta em cada relacionamento e em cada circunstância.

> *Fazendo uma retrospectiva de sua vida, você verá que os momentos em que realmente viveu foram aqueles nos quais agiu com o espírito de amor.*
> HENRY DRUMMOND, EVANGELISTA DO SÉCULO 19

Quando nos empenhamos em amar como Jesus, damos início a um processo incrível. Primeiro, nosso amor por ele cresce. Quando o amamos mais, dedicamo-nos mais à adoração e aprofundamos nosso relacionamento com ele. Então, à medida que nutrimos relacionamentos saudáveis e cordiais com as pessoas, nossa vida vai se tornando uma ligação com Jesus para aqueles que nos amam. Nosso relacionamento com eles, por sua vez, torna-se um ponto de apoio em momentos de desalento e um deleite em tempos de alegria. Você consegue perceber como o amor inspira cada propósito ordenado por Deus e impele-nos ao seguinte? O amor é um ingrediente essencial!

Citarei ainda outro benefício da etapa em que se aprende a amar como Jesus. Ela cura uma aflição que muitas mulheres sentem e que uma amiga minha chama de "doença do destino". Trata-se de uma ótima expressão que descreve o erro de preocupar-se demais em chegar ao destino, em vez de se aproveitar a viagem. Quando aprendemos a amar, ficamos mais tempo ao lado das pessoas e encontramos mais alegria e companheirismo ao longo do caminho.

O que devemos fazer para crescer em amor? Primeiro, precisamos descobrir quais são nossos sentimentos. Antes de prosseguir, devemos examinar seriamente nosso coração e avaliar nossa capacidade de amar os outros. Você já se pegou murmurando: "Gente, é melhor abrir caminho, senão passo por cima"? Talvez já tenha pensado: "Se agüentar essa pessoa, conseguirei o que quiser dela". Ou talvez um bom dia para você seja aquele no qual descobre que, embora muitas pessoas sejam esquisitas, em geral vale a pena investir nelas depois de conhecê-las melhor. Se esses sentimentos e pensamentos não lhe parecerem estranhos, talvez Deus esteja planejando realizar um transplante de coração em você!

DUAS CANDIDATAS IMPROVÁVEIS AO AMOR

Sei muito bem quando um transplante divino de coração pode ser necessário, porque eu mesma precisei de um. Sem dúvida, amar os outros não foi fácil para mim, nem para minha vizinha, Margie. Eu tinha um sério problema de perfeccionismo e controle em relação à administração de minha casa, e Margie usava as pessoas no trabalho para executar projetos. Primeiro, deixe-me contar-lhe sobre Margie.

Margie freqüentava a igreja semanalmente e era gerente de uma empresa de médio porte, mas não valorizava as pessoas. Seu *modus operandi* no trabalho era: "Ser centrada, produzir e fazer acontecer". Ela era um cáustico comitê de uma única pessoa, orientada para a realização de tarefas, sem tempo a perder com o lento mecanismo dos relacionamentos e da sabedoria coletiva. Sua chefe exigente sempre aplaudia suas iniciativas: "Você é uma lutadora contra a falta de bom-senso, uma máquina de trabalho, um ativo para nossa empresa". Desde que o trabalho fosse cumprido e ela recebesse elogios como esse, Margie não precisava gostar das pessoas.

Um dia, foi designado um novo chefe para seu setor. Depois de observar Margie e ouvir as reclamações de seus colegas e subordinados durante algum tempo, ele avaliou o trabalho dela em equipe como péssimo. O relatório que produziu sobre esse trabalho reduzia substancialmente o abono meritório e anual de Margie. Pasma, ela começou a questionar seu estilo de gerenciamento. Seu paradigma — "as pessoas são boas em tudo o que você puder arrancar delas" — não funcionava mais. A fria máscara de ferro da superioridade caiu e ela ficou sem saber o que fazer. Como mudar?

Motivada pela segurança do emprego e pelo dinheiro, Margie passou a considerar novas opções. Começou com uma simples oração em que pedia a Deus que a ajudasse. Depois, pensou sobre o tipo de pessoa que deveria ser para se tornar um membro de equipe. Descobriu que ser membro de uma equipe significava aprender a saborear a aventura com os outros. Deixou a idéia entrar em sua mente, mas não imaginava como implementá-la. O conceito não fazia muito sentido para ela; era como se alguns fatos estivessem faltando.

Mas Deus estava agindo. Então, Margie assistiu a um sermão em que se evidenciava a razão de amarmos: Jesus nos amou primeiro.² De repente, ela entendeu o verdadeiro motivo pelo qual era chamada a amar. Sua vida precisava refletir o amor de Jesus pelos outros para que eles pudessem conhecê-lo! Emocionada, chorou durante várias horas depois do serviço na igreja naquele dia. Ela descobriu que realmente almejava ser capaz de atrair as pessoas para a aventura de se ter uma vida santa.

Com o propósito recém-descoberto de amar os outros e a mudança imediata que ocorreu em seu coração, Margie acolheu o amor gracioso de Jesus de uma forma que jamais imaginara. Da profusão desse amor, experimentou algo que nunca tentara antes. Nos meses seguintes, procurou investir na vida das pessoas à sua volta.

Quando começou a interagir de forma mais amorosa com as pessoas, ficou surpresa ao ver que gostava realmente de algumas delas e chegou até a estreitar o relacionamento com outras. Passou a tratar os designers gráficos, os redatores e as equipes de filmagem como seres humanos com almas eternas. Começou a se interessar por entrevistar candidatos e a dar as boas-vindas aos novos membros da equipe. Pela primeira vez na vida, ela começou a encarar os projetos como meio de fazer amizades e desenvolver sistemas de apoio entre as pessoas, em vez de ver as pessoas como meio de executar projetos!

> *Amar é ter um vislumbre do céu.*
> KAREN SUNDE,
> DRAMATURGA

Durante essa etapa complexa de sua vida, aconteceu um fato curioso. Deus começou a usar as pessoas que faziam parte de seu universo de forma tão poderosa, que agora ela diz que não poderia viver sem a terna bênção das amizades. Agora, ela se enche de expectativa para encontrar um dos parceiros de golfe do marido ou uma outra mulher na academia de ginástica. E, quando uma colega de trabalho disse: "Marg, você é a melhor amiga que Deus me deu", ela ficou simplesmente radiante!

Meu desafio na área do amor foi um pouco diferente. Estava atolada nessa etapa há anos, por isso sabia que Deus queria que eu aprendesse a amar as pessoas. Eu também queria amá-las, mas não era fácil, pois elas viviam dentro de minha casa (e não estou referindo-me a meus filhos!). Deixe-me explicar.

Era uma executiva desempregada, viúva, com dois filhos para sustentar. Para pagar a hipoteca da casa, prestava serviços para uma empresa de vestuário de *snowboard* e hospedava três estudantes colegiais estrangeiros. Minha dificuldade era exatamente esta: amar aqueles estudantes como Jesus me amava.

Meu problema nessa área não é tão difícil de entender. Sou uma pessoa tipicamente introvertida e precavida que precisa de mais tempo que as outras para alimentar relacionamentos fora do círculo familiar e das amizades. De mais a mais, era perfeccionista e considerava que minha tendência de controlar as pessoas significava apenas que fosse bastante experiente na arte do amor difícil. Além disso, estava sob grande pressão na época; por isso insistia em manter a casa em ordem e esperava que as pessoas tivessem o cuidado de seguir minhas instruções. Nesse cenário, não havia muito espaço para amar como Jesus.

Não gosto de admitir, mas administrava a casa com tanta rigidez, que eu mesma me apelidei de *capitão*, em homenagem ao capitão Von Trapp, do filme *A noviça rebelde*. A diferença, porém, era que minhas regras faziam as do capitão parecerem brandas. Não usava um apito como ele, mas minha voz era cortante e eu não tinha o menor receio de aplicar castigos.

Permita-me destacar algumas dessas regras: cada morador da casa, até mesmo meus filhos, tinha seu próprio conjunto de xícaras, pratos e talheres, combinados por cor e etiquetados com o nome do dono. Esta era uma regra incondicional: quem quisesse partilhar das refeições da família precisava lavar seus utensílios.

Outras regras igualmente "suaves" vieram logo a seguir:

- Quem deixar o assento do vaso sanitário erguido, deverá limpá-lo.
- Quem não lavar a roupa, ficará com a roupa suja.
- Quem não preparar o lanche para a escola, ficará sem comer.
- Quem não guardar os sapatos no armário, ficará sem eles.
- Quem não colocar o despertador para tocar de manhã, não será chamado e perderá a hora.

Você pode ler essas regras e pensar: "Quero me inscrever no seu programa sobre como criar filhos!". Mas, antes de assinar sobre a linha pontilhada, é preciso que saiba o que se passava no meu coração. Embora minhas regras fossem muito eficientes, eu precisava desesperadamente controlar meu jeito cáustico de ser. Não entendia a diferença entre impor as conseqüências de forma amorosa para um comportamento inadequado e controlar rispidamente pré-adolescentes e adolescentes. Felizmente, Deus impediu que eu continuasse a agir daquela forma. Ele me ensinou o que é o amor, permitindo que fosse amada exatamente por aquelas pessoas pelas quais eu não demonstrava amor.

> *Abaixar o assento do vaso sanitário o dia inteiro é algo que não me traz realização pessoal.*
> ERMA BOMBECK

Ocorre que fiquei acamada durante uma semana com uma crise séria de pneumonia. Enquanto dependia da bondade de meus filhos e dos três estudantes com os quais compartilhava minha casa, descobri que não queria mais ser aquela disciplinadora inflexível. Queria a lei e a ordem, mas não à custa do amor. Deus nunca planejou que eu fosse dura e impiedosa com as pessoas. Por meio de seu amor e sua graça, ele queria que eu ajudasse meus filhos a amadurecerem, em vez de dominá-los.

Embora estivesse ciente do meu problema e há anos orasse para resolvê-lo, comecei a rogar aos céus que minha vida se tornasse melhor. Queria viver o amor cristão e minhas orações começaram a ser atendidas. Agarrei-me à promessa de Deus: "Darei a vocês um coração novo, com novos pensamentos e desejos. Darei a vocês um espírito novo. Em vez de terem corações duros como pedra, que só queriam saber de pecar, vocês terão corações de carne, para poderem me obedecer".[3]

Minha aspereza em casa começou a se desfazer. Minha postura de sargento e a tática de campo militar começaram a suavizar e a ceder lugar ao amor. Quando deixei para trás minha utopia inatingível e entrei no mundo real das falhas risíveis, experimentei um tipo de liberdade que jamais imaginaria pudesse existir. Entrar para a categoria das pessoas imperfeitas foi uma recompensa preciosa nessa etapa da minha vida. Continuava sendo o tipo de mulher que gosta de manter a ordem dentro de casa, mas minha transformação foi um milagre do mundo moderno pelo qual serei eternamente grata.

Quando Deus me concedeu um nível de entendimento mais profundo, ocorreu-me que talvez ele esperasse que eu alcançasse meu propósito específico de amar os outros como ele me ama. Percebi que meus inquilinos estudantes não conheciam Jesus e que talvez eu fosse a única representante de Cristo a quem eles conheceriam pessoalmente. Ocorreu-me que parte do meu propósito era tornar-me um exemplo do amor de Deus para as pessoas que ele queria redimir. Se isso fosse verdade, minha maior preocupação deveria ser a de tornar-me um tipo de cristão que eles respeitassem.

> *Esforcem-se para viver em paz com todos e para serem santos; sem santidade ninguém verá o Senhor. Cuidem que ninguém se exclua da graça de Deus; que nenhuma raiz de amargura brote e cause perturbação, contaminando muitos*
> (HEBREUS 12.14,15).

Lamento ter fracassado com dois dos estudantes que se mudaram antes que isso acontecesse.

Nessa mesma época, Deus me encaminhou para um curso voltado às mulheres e colocou-me ao lado da graciosa Chaundel Holladay que, com seu amor incondicional, mudou minha vida para sempre. Quando a conheci, não fazia idéia de que Deus a usaria para me dar um exemplo do meu propósito de vida: amar com o amor de Jesus. Chaundel mostrou-se interessada em meu bem-estar pessoal e cristão. Quando eu falava, ela prestava atenção e me incentivava. Ela investiu em mim e em nossa amizade.

Graças à amizade insubstituível que desenvolvi naquele curso com Chaundel, com nossa classe e com as mulheres das novas classes, agora entendo melhor alguns sábios conselhos de George Washington Carver.* Certa vez, ele disse que deveríamos ser pacientes com os jovens, compassivos com os idosos e tolerantes com os fracos pois, em algum momento de nossa vida, somos ou seremos como eles.

Se você for uma pessoa naturalmente expansiva ou extrovertida, talvez não entenda por que Margie e eu encontramos dificuldade para abrir nosso coração e amar as pessoas. Mas não fique convencida por causa da habilidade que Deus lhe concedeu de relacionar-se facilmente com os outros. Em vez disso, conte suas bênçãos por essa etapa ser mais fácil para você do que algumas outras. E, independentemente do estágio em que estamos, quando damos esse passo, nosso amor pelas pessoas pode sempre amadurecer e se tornar mais semelhante ao de Jesus.

> *A dádiva do amor é uma escola em si mesma.*
> ELEANOR ROOSEVELT

---

*1864-1943. Botânico americano, filho de escravos. Suas principais colaborações foram aplicações industriais para ervilhas, batatas doces, amendoim e o desenvolvimento de um novo tipo de algodão [N. da T.].

GUIA DE VIAGEM PARA AMAR AS PESSOAS

Se você deseja crescer no amor de Jesus e expressar esse amor nos seus relacionamentos, então está pronta para que Deus lhe revele mais sobre os propósitos da vida que ele traçou para você. Reserve algum tempo para considerar e aplicar as sugestões a seguir. Elas a ajudarão a desenvolver seus relacionamentos e a nutrir seu amor.

Procure marcar a vida de alguém com amor

Durante uma semana, tome nota de tudo o que você faz para marcar a vida de alguém com amor. Esse exercício aumentará a consciência de que, ao empenhar-se em amar o povo de Deus, você estará cumprindo um dos propósitos de sua vida. Isso será um estímulo para você. Caso não consiga marcar a vida de alguém com amor, não precisa contratar um detetive para descobrir se fez alguma coisa errada! Comece a buscar diariamente oportunidades para amar os outros.

Relacione-se com as pessoas na igreja

Se ainda não se relaciona com as pessoas, freqüente uma igreja de sua cidade. Participe de um pequeno grupo de comunhão ou de estudo bíblico. A força e a longevidade das amizades na família da igreja podem ser uma boa surpresa e uma bênção nos muitos anos que virão.

Ofereça perdão

Perdoe alguém hoje. Não deixe para depois. Pare de analisar os prós e os contras. Simplesmente ore pelo momento certo de fazê-lo. Perdoe em nome do perdão que Jesus lhe concedeu. Se você é quem precisa ser perdoada, o conselho é o mesmo: simplesmente faça isso!

Avalie as oportunidades de relacionamento

Quais oportunidades você pode encontrar no momento de desenvolver hábitos específicos de relacionamento, como os relacionados a seguir?

- Se você perdeu o emprego, já pensou em entrar para um grupo de *networking* ou rede de relacionamentos profissionais?
- Se você está viúva há algum tempo, não seria a hora de começar a construir novos relacionamentos, saindo, socializando ou namorando?
- Se você está tentando fortalecer seu casamento, já tentou aproximar-se e se comunicar com seu marido, planejando passeios regularmente?
- Se você sofreu um aborto espontâneo, já pensou em se juntar a um grupo de apoio e permitir que outras mulheres em situações semelhantes a ajudem?
- Se você deseja abandonar um vício — seja cigarro, jogo, pornografia, sexo, álcool, drogas ou comida —, já começou a reabilitação com a ajuda de um grupo de apoio ou clínica?
- Se você precisa de orientação sobre suas finanças, fé, família ou carreira, já procurou um conselheiro ou mentor cristão que possa aconselhá-la?
- Se você está tentando descobrir seus propósitos de vida, já escolheu uma parceira de propósitos ou discipuladora para processar as informações na forma de encontros?

Sejam quais forem as necessidades de relacionamento que você tenha, peça a Deus para supri-las especialmente com ele. Depois, pergunte se seria bom convidar alguém para caminhar a seu lado.

Sua igreja deve ter vários programas preparados para ajudá-la na área dos relacionamentos, mas, se preferir, crie um grupo voltado para suas necessidades.[4] Você também pode concentrar-se em conhecer pessoas ou nutrir uma amizade que já tenha. Apenas lembre-se de que tanto as novas quanto as antigas amizades precisam de sua dedicação.

Diga a Deus que, apesar do medo e da vulnerabilidade, você deseja abrir seu coração completamente para crescer no amor. Ele sabe que os relacionamentos de amor são temperados por lágrimas e risos e podem estimular novas atitudes e ações. Peça-lhe que a ajude a alcançar as metas estabelecidas para você.

Ore pelos pouco amorosos e indelicados

Os relacionamentos nem sempre são agradáveis. Alguns são incrivelmente dolorosos. Um dos grandes sacrifícios do amor está em orar pelas pessoas que não demonstram merecer nosso amor e por aquelas que agem com indelicadeza, causando-nos até mesmo mágoa. Recomendo que você peça a Deus que a ajude a exercitar esse tipo de amor. Lembre-se de que a finalidade do amor não é a cordialidade e a aceitação. Amar é preocupar-se com o relacionamento eterno de Deus com os outros. Ore para que seja feita a vontade de Deus na vida das pessoas que você considera problemáticas ou difíceis. Peça a Deus que a ajude a ver as coisas da perspectiva dele.

Algumas pessoas precisam aprender duras lições sobre limites, confiança, compromisso, ódio, fanatismo, dependência, abuso ou negligência. Se você sente alguma dessas necessidades ou já experimentou algum desses sentimentos, não deve tratar superficialmente os perigos emocionais, físicos e espirituais decorrentes desses problemas. Aconselho-a a buscar ajuda profissional para seus efeitos negativos e persistentes.

LIVROS RECOMENDADOS SOBRE AMAR OS OUTROS

Limites, de Henry Cloud e John Townsend[5]
As Iron Sharpens Iron [Como o ferro com o ferro se afia], de Howard e William Hendricks[6]

ESTÁ NA HORA DE AMAR AS PESSOAS

Você está pronta para dar esse passo na direção de Deus e do propósito que ele criou para sua vida: *amar todas as pessoas como Jesus ama você*? Já abriu seu coração para amar todas as pessoas e, com isso, aprofundar seu amor por Jesus? Está buscando novas oportunidades de amar a cada dia?

A Bíblia diz: "Ainda que eu fale as línguas dos homens e dos anjos, se não tiver amor, serei como o sino que ressoa ou como o prato que retine".[7] Esse versículo usa uma imagem forte para expressar a vontade de Deus. Você deseja ser, propositadamente, uma mulher de relacionamentos saudáveis? Então dê um passo decisivo hoje.

Que Deus a envolva com seus braços amorosos para que você cumpra essa importante etapa dos relacionamentos e veja de maneira mais clara os propósitos de sua vida. Que você receba todas as bênçãos advindas do grande amor do nosso Senhor por você. Que você tenha plena consciência da importância dessa etapa — amar as pessoas como Jesus ama — agora e por toda a eternidade.

A SABEDORIA DE DEUS PARA A CAMINHADA

O EXEMPLO DE VIDA DE RUTE: AMAR OS OUTROS COMO JESUS AMA VOCÊ

Para aprender a lição de Rute, a nora amorosa de Noemi, leia Rute 1—4. Rute nos ensina sobre amor, lealdade, bondade e fé. O amor que você sente por sua família e pelos seus parentes por afinidade é forte? Por todos eles? Ore para que Deus lhe revele o relacionamento no qual ele gostaria que você investisse mais amor, tempo, energia e/ou recursos.

QUESTÕES PESSOAIS DA CAMINHADA

1. Ultimamente, você tem conseguido obedecer ao mandamento de "amar o próximo"?
2. Com quem você mantém um bom relacionamento atualmente? Esta lista de grupos poderá ajudá-la a pensar em nomes específicos:
   - Igreja
   - Amigos de ministério cristão
   - Clubes e sociedades
   - Voluntários da comunidade
   - Parentes por extensão
   - Academia de ginástica
   - Parentes consangüíneos
   - Vizinhos
   - Pais de amigos dos filhos
   - Pequeno grupo
   - Escola
   - Esportes
   - Grupo de apoio
   - Trabalho
3. Com quem você não mantém um bom relacionamento atualmente? (Pista: pense apenas nas pessoas que a levam a evitar a busca de Deus ou a estimulam a ter pensamentos ou ações pecaminosos.)
4. Relacionamentos saudáveis são escolhas feitas em devoção. No momento, o que é mais importante para seu bem-estar espiritual: cultivar ou terminar um relacionamento? O que Deus a está impulsionando a fazer sobre um ou mais de seus relacionamentos?

Notas

[1] João 15.9a,12,13.
[2] V. 1João 4.19.
[3] Ezequiel 36.26, BV.
[4] Visite o *site* da Igreja Saddleback em www.saddleback.com para obter uma amostra dos programas de relacionamento na igreja. No Brasil, visite o *site* <http://www.propositos.com.br> e tenha acesso a informações sobre *Celebrando a recuperação*, grupos de apoio e estudo da *Classe 101 – Comprometidos com a membresia*.
[5] CLOUD, Henry & TOWNSEND, John. *Boundaries*. Grand Rapids: Zondervan, 1992 [*Limites*, **Editora Vida, 1999**].
[6] HENDRICKS, Howard & William. *As Iron Sharpens Iron*. Chicago: MoodyPress, 1995.
[7] 1Coríntios 13.1.

Parte III

Siga *os* passos de Jesus

O propósito divino do *discipulado* para você: conhecer a Cristo e ser como ele

Capítulo 5

BUSQUE A PAZ

Procura a paz, e segue-a
(SALMOS 34.14, AEC).

Pare um momento e pense no progresso de sua caminhada com propósitos. Se, pelo menos, você começou a difícil etapa de *esquecer o que ficou para trás e prosseguir em direção ao alvo*, está mais leve agora, pois não precisa carregar todos os fardos do passado. Você descobriu que seu propósito mais evidente está bem diante de seus olhos: na sua lista de afazeres do dia. Agora sabe que *fazer hoje o que é importante* não é apenas um obstáculo entediante, mas, na verdade, o meio pelo qual Deus a está preparando e guiando para o grande e único propósito que instituiu para sua vida. Descobriu, ainda, que o desafio de *amar os outros como Jesus ama você* é o elemento essencial que desencadeia todos os outros propósitos que lhe foram ordenados por Deus. Espero que esteja pronta para ver o grande progresso que está fazendo, a fim de cumprir o chamado de Deus. Até aqui, tudo bem!

A etapa seguinte — *buscar a paz e segui-la* — talvez seja a mais desejada de toda a caminhada. Podemos descrever a paz como um estado mental livre de preocupações, agitação e ansiedade. É a tranquilidade de saber que podemos confiar em Deus. Ela proporciona absoluta calma e serenidade à alma que valem muito mais que ouro. As mulheres querem e buscam a paz desesperadamente. A paz é tão almejada quanto o modelo clássico de uma sandália de marca em época de liquidação!

Só existe um problema para quem *busca* a paz: dizem que essa pedra preciosa está sob a água; portanto, você terá de molhar os pés a fim de encontrá-la e se firmar nela. Mas, por favor, aceite meu conselho e seja fiel ao anseio de seu coração pela paz. Não hesite, nem por um momento, em se molhar. A paz interior não é apenas uma idéia interessante — ela vale cada minuto do seu esforço, especialmente se você estiver confusa, infeliz ou insatisfeita com a vida.

Com certeza, eu dormia na igreja quando era criança, porque nunca prestara muita atenção à idéia do salmo: *procura a paz, e segue-a*. Certamente, não imaginava que uma passagem que soa tão bem aos ouvidos fosse um mandamento de Deus. Mas o versículo foi escrito no imperativo. Lembra-se das aulas de gramática? No imperativo, devemos ler o verbo como se os pronomes *tu* ou *você* viessem depois dele, exprimindo uma ordem: procura *tu* (ou procure *você*) a paz, e segue-a (ou *siga-a*).

Imagine as implicações de se cumprir essa ordem. Você deve buscar a paz a qualquer custo, obstinadamente, mesmo que não se sinta bem, que alguém a magoe ou que você perca um ente querido. Siga a paz. Amém.

Por que a paz é tão preciosa?

Primeiro, a paz é preciosa por causa do lugar em que reside. Busquei a paz freneticamente no mundo, mas acabei confusa. Desde então, aprendi que é muito mais fácil encontrá-la quando do atentamente vamos a Jesus e o ouvimos. E que bênção é encontrá-la!

Conforme cultivamos mais intimidade com Jesus, aprendemos a reconhecer a voz de Deus e a entender melhor as atribuições atuais e futuras que ele nos confia. Podemos aceitar melhor sua perspectiva e seus sábios conselhos sobre questões importantes da vida, como problemas familiares, decisões financeiras e os compromissos que nos podem desviar de seus propósitos. Quem, a não ser o Senhor, colocaria diante de nós o propósito específico de buscar a paz e faria que nossa busca nos ajudasse a ouvir seus desígnios em todas as áreas da vida? Mas que alívio saber isso!

A paz também é preciosa porque, para obedecer ao mandamento de Deus de procurar e seguir a paz, buscamos um objetivo legítimo no dia de hoje. Ah, se eu soubesse que a busca da paz, em si, era um propósito tão valioso! Reconhecer que a pedra da paz me levaria para mais perto de Deus e dos outros propósitos para a minha vida teria poupado anos de lágrimas. Não sabia que almejar a paz era normal, por isso demorei a entender minha sede de paz e sentia como se tivesse uma doença terrível. Se eu soubesse que atingir esse objetivo estava nos planos de Deus para mim, teria me sentido muito melhor, durante boa parte do tempo em que julgava estar cometendo um erro.

O FIASCO DA PAZ INTERIOR: UMA FESTA A TRÊS

Por mais importante que seja a pedra da busca da paz na caminhada com propósitos, por mais que a desejemos e por mais simples que Deus torne essa busca, às vezes, ainda assim é difícil encontrá-la. Pelo menos para mim foi penoso e sei que não sou a única. Em dado momento, duas amigas e eu ficamos tão frustradas com a busca da paz que começamos a nos reunir para tentar entender o que estava acontecendo e nos encorajar a prosseguir viagem. Ao compartilhar nossas histórias, demos boas risadas porque nossa busca pela paz era um fiasco triplo!

Danielle, uma amiga da época da faculdade, reclamava porque se sentia inquieta e agitada. Para encontrar alívio, gastava muito e procurava manter-se ocupada. Como grande número de suas amigas na urbana selva de pedras, ficou desiludida com a ganância e a voracidade de sua vida frenética que gritava: "Mais! Corre! Maior! Melhor!". Sentia-se como um *hamster* na roda de exercícios de uma gaiola da Gucci: estava sempre correndo — mas para onde? Aos 35 anos, sentia-se infeliz. A falta de paz começou a destruí-la aos poucos. Estava cansada de se iludir com distrações tão caras — como o recente passeio de helicóptero para passar o fim de semana em uma ilha local — apenas para fugir da vaga sensação de ser um fracasso nas coisas importantes da vida. Ela percebeu que o contentamento que buscava não podia ser alcançado por um furacão financeiro, carros possantes ou homens poderosos. Qual seria a cura?

> *A paz interior é o caminho para a paz mundial.*[1]
> MAIREAD CORRIGAN MAGUIRE, GANHADORA DO PRÊMIO NOBEL DA PAZ

Becky morava do outro lado da cidade. Passou anos julgando que a resposta para a paz interior estava em identificar o grande propósito de sua vida. Se ao menos pudesse descobrir qual era a importante tarefa que Deus queria que realizasse antes do fim de sua vida, encontraria a paz. Mas, aos 42 anos, todas as tentativas de imaginar um dom divino espetacular deixaram-na descontente. Jamais conseguira manter-se em um ministério, depois do entusiasmo da fase inicial. Não compreendia por que tudo malograva. Era como se a oportunidade de deixar um legado lhe fosse roubada.

A frustração de Becky estava se tornando intolerável. Apesar de sua sólida criação religiosa e de toda a aparência de uma vida prazerosa, ela vivia em um estado de sonambulismo, mergulhada na apatia e cansada de tanto chorar. Chegou até a acreditar que estava com um sério problema de saúde. Finalmente, tomou uma decisão: abandonaria a busca infrutífera por um significado complexo na vida, desistiria de tentar encontrar "a resposta" que lhe trouxesse a sensação de uma santa ambição e realização. Em vez disso, usaria sua limitada energia para aprender a encontrar a satisfação, apesar da frustração e do profundo vazio que sentia. A única questão era: "Como?".

Quando Danielle, Becky e eu começamos a nos encontrar, eu devia estar adiantada um milímetro na jornada em busca da paz e por isso elas pediram que eu fosse a destemida líder do nosso pequeno grupo! Certa noite, eu disse: "Senhoras, penso que está na hora de contar-lhes os detalhes da minha jornada inacabada. Sou cristã desde que me conheço por gente; no entanto, durante anos, não entendia por que não encontrava a paz. Meu constante estado de perturbação tornou-se uma visão terrível. Estava cansada da imagem amarga e carrancuda que meu espelho refletia. Desesperada, lancei-me totalmente em uma corrida desenfreada em busca da serenidade. Era um divisor de águas para mim e decidi que essa viagem não teria volta".

Danielle e Becky queriam ouvir toda a glória das particularidades de minha grande fuga antes que a noite terminasse. Não tinha coragem de dizer que encontrara as respostas, mas também não sabia o que dizer. Embora ainda não tivesse encontrado uma posição segura nessa etapa, comecei a contar minha história.

PRECISO ENCONTRAR A PAZ DE QUALQUER MANEIRA!

Mais ou menos um ano depois da viagem aparentemente infrutífera à Índia, decidi programar um retiro espiritual particular em algum lugar no mundo. Esta seria a última tentativa de me livrar da opressão causada pela sensação de falta de propósitos e de paz. Julguei que, se experimentasse uma vida tranqüila, começaria a me sentir melhor. Tinha de existir um método seguro pelo qual as pessoas sem propósitos poderiam encontrar a calma e a serenidade. Não estava disposta a investir em manuais sobre serenidade, por isso acreditei que um retiro, temperado com alguns sermões de pessoas pacíficas, seria a melhor opção.

Logo depois de tomar essa decisão, fui à biblioteca fazer uma pesquisa sobre mulheres em liderança. Meu coração parou de bater quando li sobre as sete mulheres que receberam o Prêmio Nobel da Paz. Apenas três ainda estavam vivas.² Para minha felicidade, uma delas era a Madre Teresa de Calcutá, a quem eu já conhecera. As outras duas eram Mairead Corrigan Maguire e Betty Williams Smith, que se uniram para tentar acabar com a guerra na Irlanda do Norte.*

Sentada na biblioteca, sentia-me fascinada. Sem dúvida, encontraria clareza sobre a paz se me encontrasse com as vencedoras do Nobel da Paz que ainda estavam vivas! Não importava o fato de que as lições recebidas da Madre Teresa não fizessem ainda sentido para mim. Instintivamente, sabia que precisava conhecer as outras duas mulheres ou, pelo menos, colegas de trabalho que pudessem falar sobre suas líderes. Precisava seguir essa pista! Não fazia idéia de que Deus estava por trás disso. Nunca imaginei que ele resolvesse usar a isca perfeita — minha paixão por viagens — para mostrar que o propósito, a oração e a paz agem de maneira conjunta.

Antes que o medo me paralisasse, liguei para o escritório do Peace People, na Irlanda do Norte, um grupo que Mairead fundou para promover a paz. Uma mulher animada, com um forte sotaque irlandês, atendeu: "Quem fala é Mairead Maguire".

Mal pude acreditar! Estava realmente falando com ela? Com a mão trêmula, segurei firme o telefone e expus minhas dúvidas diretamente para a ganhadora do Prêmio Nobel: "Quem... quem está falando?". Devo ter parecido uma louca. Apesar de haver me atrapalhado toda na conversa, Mairead convidou-me para a conferência anual do Peace People, no monastério Benburb, na Irlanda do Norte. Ela participaria da conferência, mas Betty Williams não. Aceitei o convite e logo negociei a possibilidade de levar minha mãe como acompanhante.

---

*Betty Williams e Mairead Corrigan, fundadoras do Movimento das Mulheres para a Paz na Irlanda do Norte, mais tarde chamado de Peace People [Gente de Paz] [N. da T.].

Ao conversarmos sobre os preparativos, Mairead sugeriu: "Por que você e sua mãe não participam de nosso jejum de três dias pela paz durante a conferência?". Prometi que pensaria a respeito, mas a verdade é que menti para ganhar tempo até encontrar uma desculpa para recusar educadamente. Afinal, não queria estragar minhas férias com um jejum que não tinha nada a ver comigo. Meu último jejum *não* tinha sido pela paz mundial, mas para caber em um pretinho básico.

Quando perguntei a minha mãe se gostaria de ir a Belfast comigo, ela agradeceu: "Não, obrigada. Não quero ir. É muito perigoso.". Fiquei chocada! Como minha companheira de viagem tinha coragem de me abandonar? "Você vai, sim! Você me deve obrigações por tê-la levado a Calcutá!", retruquei. "Consegui um convite pessoal da ganhadora do Prêmio Nobel. Vai ser divertido! Vamos!".

Continuamos nosso tipo de discussão preferido por um tempo até que, finalmente, venci. "Preciso muuuuuito que você vá comigo!", choraminguei. Que mãe consegue resistir ao apelo de uma filha que há muito se sentia infeliz? Ela concordou em ir.

Depois de receber um abraço de despedida de meus dois filhos e de eles me lembrarem de trazer-lhes muitos presentes interessantes, eles partiram para suas fantásticas férias de verão. Minha mãe e eu, mais uma vez, pegamos nossas mochilas e fomos para o aeroporto. Meu pai, nosso chofer, cumpriu o que ironicamente chamou de vocação da sua vida: deixar-nos no aeroporto e ficar em casa orando por nós!

Desta vez, estava convencida de que encontraria as respostas sobre a paz e o propósito da vida que buscava tão desesperadamente. Ainda não fazia idéia de que minhas pesquisas além-mar eram obra de Deus, nem suspeitava que propósito e paz fossem duas linhas interligadas da trama da minha vida.

Durante vários dias depois de nossa chegada à Irlanda do Norte, minha mãe e eu passeamos inebriadas pelos magníficos campos verdejantes. Rimos de nossa primeira experiência em um albergue, que Mairead gentilmente nos providenciou. Então, chegou o grande dia. Estava na hora de ir para o antigo monastério, dormir em camas duras e estreitas, conhecer *pessoas santas* e aprender a viver em paz com o mundo. Minha mãe perguntou com um sorriso amarelo: "Por que foi mesmo que deixei você me convencer a vir?".

Estávamos na conferência há pouco mais de uma hora quando descobri que algumas participantes já haviam completado 37 dos 40 dias de um jejum pela paz, ingerindo apenas líquidos (as "menos santas" comiam pão na quarta e na sexta-feira!). Fiquei espantada com o contraste entre o meu estilo de vida e a abnegação das pessoas do Peace People. Abismada? Sim. Convencida a fazer jejum? Não.

Como estava na Irlanda do Norte, entendi um pouco por que elas estavam determinadas a fazer o sacrifício do jejum: imploravam a Deus a paz de seu amado país. Em poucos dias ali, vi carros blindados e militares com metralhadoras circulando pelas ruas. Inocentemente, entrei em um parque da cidade, no meio de um impasse entre representantes trajados com *kilts** laranja, dos protestantes, e verde, dos católicos. A princípio, pensei que fosse um desfile. Quando me dei conta do que estava acontecendo, saí de lá o mais rápido que pude.

> *E todos aqueles que são pacificadores plantarão sementes de paz e levantarão uma colheita de justiça*
> (TIAGO 3.18, BV).

Durante a visita, as chances da minha busca pessoal pela paz aumentaram substancialmente. Deus pôs os pingos nos "is" para mim, usando o episódio do encontro com o perigo, aquilo que já percebera em minha visita e as palavras de Mairead: "A paz interior é o caminho para a paz mundial". Suas palavras penetraram no meu coração e, por um segundo, vi tudo como nunca vira antes. Minha busca não dizia respeito apenas a mim. Mi-

---

*Saiote usado pelos homens na Irlanda do Norte [N. da R.].

nha pesquisa e seu resultado tinham uma importância maior. Percebi que cada pessoa faz parte da solução e não do problema do mundo. Finalmente, entendi completamente o *porquê*, mas ainda faltava descobrir o *como* pessoal.

Certa noite, Mairead convidou-me para um bate-papo e permitiu que o gravasse. Tiramos nossos sapatos e nos sentamos em sua cama no dormitório. Ela disse: "Kate, você atravessou o oceano para conhecer uma líder famosa e perguntar como é possível desenvolver a paz interior e a serenidade. Você julgou que, por eu ter tido a felicidade de conversar com o papa e a Madre Teresa, com presidentes e rainhas, certamente teria a resposta e poderia ajudá-la em sua missão. Mas agora você está admirada porque encontrou uma mulher comum que acredita que a resposta para a paz interior e mundial está em compartilhar seu tempo e suas posses com os menos afortunados. Você está surpresa de ver que sou igual a todas as pessoas: eu improviso, cozinho, limpo, lavo os pratos, sou voluntária no Peace People, tento ser uma boa esposa para meu marido, Jackie, faço ioga, oro durante o dia inteiro e repreendo meus filhos entre uma e outra conferência de paz. No seu caso, duas respostas para a busca da paz interior estão bem claras para mim. Primeiro, seja uma boa mãe para seus filhos. Depois, ouça Deus, se possível várias horas por dia, enquanto realiza seu trabalho. Em pouco tempo, você conseguirá ouvir a voz dele, em vez de ouvir sua própria voz".

Essas respostas não são tão sofisticadas quanto esperava, pensei. Gastei milhares de dólares viajando milhares de quilômetros para incluir alguns itens de atividades na minha "lista de afazeres da serenidade". Chega de investir!

Eu buscava uma solução fácil e rápida. Imaginei que Mairead fosse contar que as ganhadoras do Prêmio Nobel da Paz encontram tranqüilidade tirando longas férias a cada dois meses para uma reflexão espiritual. Pensei que ela fosse dizer que a paz pode ser encontrada por meio de assina-

> *Orai sem cessar.*
> (1 T<small>ESSALONICENSES</small>
> 5.17, AEC)

turas de clubes de livros religiosos, ouvindo apenas música cristã no rádio ou jogando fora o aparelho de TV, para manter a mente pura. Queria algo que pudesse fazer ou realizar, mas nunca reparei que *fazer* era o oposto de *ser*!

Mairead percebeu que não fiquei satisfeita com seu conselho tão simples. Assim, no dia seguinte, ela me chamou de lado e, gentilmente, aconselhou-me a relaxar, descansar a mente, desfrutar a vida, sorrir, ser uma boa pessoa e tratar os outros com o mais profundo respeito. Ela disse: "Ore e ouça atentamente a Deus o tempo todo. Seja fiel a ele. Peça que ele a use como veículo. Quando quiser fazer algo, ele lhe dirá. Ele pode querer que você lave a louça em uma casa missionária; cabe a você apenas ouvir as instruções. Seja gentil e amorosa com as pessoas, especialmente com sua família e com as pessoas mais próximas, e encontrará a paz". Depois, Mairead escreveu em um livro para mim: "Ore, ore, ore, o tempo todo!".

Então, minha mãe e eu voltamos para casa. À luz da bondade de Mairead conosco, logo comecei a me sentir mal sobre várias coisas. Uma delas era que minha mãe e eu fizemos de tudo para parecer que estávamos fazendo jejum. O que ninguém sabia é que tínhamos alguns doces escondidos nas mochilas. E ninguém ficou sabendo também que, quando eles acabaram, invadimos a cozinha do monastério no meio da noite. Como *hamsters*, enchemos a boca com repolho refogado e batatas. Fui à Irlanda do Norte para me tornar santa, mas, quando voltei, era uma farsante e uma ladra.

Retornei da viagem com tanta paz quanto a que eu tinha quando saí de casa. Ainda não assimilara o conselho de Mairead — de que a devoção produz a paz de espírito. Comecei a me sentir culpada porque essa segunda ganhadora do Prêmio Nobel da Paz dissera com muita eloquência o que eu precisava ouvir, mas eu não estava espiritualmente madura para compreender ou pôr seu conselho em prática. Na verdade, não estava pronta para *entender*.

Em busca da paz: segunda parte

Estava com receio de que Danielle e Becky ficassem decepcionadas por eu não ter encontrado as respostas que todas buscávamos. Esperava que os pormenores de minha busca pela paz nos rendessem, pelo menos, algo sobre o que pensar e falar. Em nosso encontro seguinte, começamos a conversar, antes mesmo de sentar.

Becky disse: "Tenho pensado muito sobre sua história e, pelo que você disse, a devoção produz a paz que, por sua vez, nos permite ouvir o que Deus diz quando compartilha mais sobre nosso grande propósito na vida! Então, na verdade, tudo o que temos a fazer enquanto esperamos o grande propósito da nossa vida é não fazer nada, a não ser orar e ouvir a voz de Deus".

Danielle acrescentou: "É como diz o versículo: 'Aquietai-vos, e sabei que eu sou Deus'".[3]

"Acredito que essa é a resposta", repliquei. Então, resumi para minhas duas amigas o que ouvira falar mais recentemente sobre o assunto. Expliquei que, a qualquer momento, Deus pode dar um propósito a quem ele desejar, tenha essa pessoa paz ou não, mas ouvi-lo é uma dádiva grandiosa que damos a nós mesmas. Disse também que, quanto mais tempo passamos com ele, mais aprendemos, porque nos tornamos mais afinadas com seus desígnios e seu caráter. Além disso, começamos a nos apaixonar mais por ele, o que nos torna mais obedientes a sua vontade. Então, quando menos esperamos, descobrimos que ficamos mais receptivas às impressões divinas em relação ao propósito da vida. Quando começamos a entender o passo que devemos dar a seguir, o impulso de obter as respostas sobre o futuro já não será tão forte. Aos poucos, nossa fé aumentará e aprenderemos a confiar que Deus possui um plano para nossa vida.

"Acredito que é assim que funciona", disse. Depois acrescentei que julgava ser melhor equilibrar o exagero de "não fazer nada" com a perspectiva da "Lista de verificação da paz interior" (dada a seguir). Expliquei que só percebi que estava progredindo quando pude responder "sim" a algumas das questões da lista.

LISTA DE VERIFICAÇÃO DA PAZ INTERIOR

Enquanto busca a paz em sua vida, você:

- *Desfruta a companhia de Deus ao cumprir seus afazeres, como lavar roupa ou cozinhar?*
- *Anseia mais e com mais freqüência por seus encontros com o Espírito Santo?*
- *Encontra calma para tomar as difíceis decisões que terá de enfrentar enquanto lê e medita sobre as verdades bíblicas?*
- *Percebe o valor de se fazer um registro diário de conquistas espirituais, conversas com Deus e perguntas feitas a ele?*
- *Reconhece que Deus está agindo para o seu bem, mesmo nos momentos de ansiedade e inquietação?*
- *Ensina seus filhos ou outras pessoas a ouvirem Deus e humilha-se diante dos resultados transformadores?*

PARA ENCONTRAR A PAZ, DIA APÓS DIA

Anos atrás, quando Danielle, Becky e eu interrompemos os encontros que mantínhamos, eu ainda não sentia ter alcançado a paz que desejava. Na verdade, jamais teria imaginado que ela já estivesse a caminho. Silenciosamente, Deus cultivou as sementes sobre a serenidade que Mairead plantara com tanta ternura em meu coração. Ele estava me atraindo para mais perto dele. Pôs em meu caminho outras pessoas que prontamente alimentaram aquelas idéias com palavras e seu próprio comportamento.

Por exemplo, durante todo o tempo em que busquei a paz interior, ouvi atentamente os sermões de um jovem pastor chamado Jeff Walling. Ele me encorajou a programar, regularmente, momentos de quietude para a leitura da Bíblia. Disse-me que começasse com sessões de três minutos e observasse para onde Deus me levaria. Ao praticar essa disciplina espiritual, senti-me atraída para os braços do Senhor. Descobri que não há nada como aqueles poucos minutos diários com Jesus, o operador de milagres.

Muito tempo depois, quando já dedicava períodos mais longos à leitura da Bíblia, passei a analisar as questões que me afligiam com mais discernimento. Compreendi, por exemplo, que os problemas de falta de controle, como depressão, medo e perfeccionismo, andam juntos e alimentam-se da carcaça decadente do desespero. Quando tomei conhecimento dessa trindade mortal de "perturbadores da paz", pedi a Deus que transformasse minha impotência diante deles em força e coragem. No decorrer de vários anos, Deus foi bastante gracioso por atender a esse meu pedido.

> *Eu plantei, Apolo regou, mas Deus é quem fez crescer* (1 CORÍNTIOS 3.6).

Finalmente, comecei a ouvir a voz de Deus no silêncio da minha alma. Um dia, em um momento de quietude, entendi como Deus me conduzira à paz. Maravilhada, escrevi em meu diário: "Obrigada, Jesus, por me mostrares o caminho da paz. Tu me ensinaste com teu exemplo, afastando-te para orar e ouvir o teu Pai. Quero aprender a ouvir Deus, meu Pai, durante todo o dia". Ouvir a voz de Deus é um enorme privilégio. Sou imensamente grata pela paz interior que ele me concedeu e espero encontrar mais dessa paz a cada dia.

E quanto a você? Qual é a sua situação de acordo com a "Escala 'Richter' da paz interior"?

Completamente desvairada	Parcialmente serena	Em paz
Irritada, confusa e ansiosa	Sentindo alguma calma interior	Totalmente segura

Seja qual for seu ponto de partida, a questão fundamental para encontrar a paz é uma só: seu coração deseja ardentemente *buscar* a paz? Você reservará um tempo para ficar diante de Deus e aceitar o que ele tiver para lhe oferecer? Deus está esperando que você dê esse passo para poder abrir seus olhos e mostrar tudo o que reservou para você.

Guia de viagem para buscar a paz

As sugestões descritas a seguir ajudarão você a encontrar a paz interior. Leve o tempo que for necessário para concluir cada etapa. Como sempre, não ceda à tentação de enveredar por atalhos.

Pratique o silêncio

Pratique o silêncio, criando oportunidades para que Deus fale com você. Faça sua parte para reduzir a carga de ruído, estímulos e informações. Desligue a TV, o aparelho de som ou o rádio do carro. Educadamente, vá para longe do burburinho da conversa das pessoas ao redor. Passe algum tempo em uma biblioteca ou em um museu. Peça a Deus diariamente que a torne melhor ouvinte daquilo que ele lhe quer dizer. Peça-lhe que a leve do lugar em que você está agora para onde ele sempre quis que você estivesse.

Para um momento de silêncio com maior concentração, sente-se em um lugar aprazível, com um copo de chá gelado para se refrescar, sentindo a companhia do Espírito Santo. Não se preocupe em levar material para leitura e não receie poder ser julgada e condenada por não estar trabalhando. Um conselho: prepare-se para responder às pessoas que surgirão querendo saber o que você está fazendo. Responda: "Nada!". Quanto mais você praticar a quietude na sua vida, mais oportunidades surgirão de ficar em silêncio perante o Senhor.

Faça calar o constante burburinho mental

O caminho para a paz é pavimentado com longos períodos de silêncio. Não raro, o pior ruído de todos é o da argumentação interna. Você costuma conversar, mentalmente ou em voz alta, com você mesma? Nesse caso, está na hora de calar esse burburinho mental. Pare de se torturar. Você não precisa ser sua própria platéia cativa. Ordene à sua mente que se cale.

Envie orações-relâmpago aos céus o dia todo

Cultive o hábito de falar com Deus e de ouvi-lo o dia inteiro, todos os dias. Esta semana, procure orar por favor de tudo o que fizer. Depois, pare e desfrute as respostas de Deus. Você receberá respostas sobre todos os aspectos do desenvolvimento do seu caráter, as funções que desempenha, seus relacionamentos, sua situação financeira, seus propósitos e muito mais.

Não se sinta culpada quando cair no sono ou tirar uma soneca durante o período do silêncio!

Se você estiver fisicamente cansada ou emocionalmente desgastada, pode ser que aconteça de cair no sono quando tentar ouvir Deus. Não se preocupe com isso. O descanso é bíblico. Deus também descansou no sétimo dia! Em alguns dias, sinto que poderia orar sem parar; em outros, porém, adormeço assim que me sento para orar.

Lembre-se de que o descanso restabelece o corpo, a alma e a mente. Tirar uma soneca no momento de oração pode ser uma terapia excelente para tratar qualquer tipo de aflição e não custa nada. Não considero a soneca um luxo; sempre fiz uso dos curtos períodos de sono para manter a sanidade mental. Portanto, quando precisar, tire uma soneca. Foi o que acabei de fazer! E estou muito bem acompanhada. Churchill, Einstein e os ex-presidentes dos Estados Unidos Kennedy e Reagan também gostavam de tirar uma soneca! Portanto durma porque é permitido! Não se sinta culpada por isso; apenas continue a oração quando acordar.

Mude de ritmo imediatamente

Aprenda a desacelerar. Uma providência útil que você pode tomar ao buscar a paz é a de fazer um esforço consciente para aliviar um pouco a pressão para *ser produtiva*. Em vez de produzir em tempo recorde, faça exatamente o oposto. Desenvolva um *hobby*, como pintar, ler ou pescar, que possa aquietar sua alma. Para as pessoas muito ocupadas ou agitadas, adaptar hábitos diários, semanais, mensais e anuais, que alterem decididamente o ritmo da vida, poderá ser uma das sugestões mais difíceis de ser aceitas entre as que aparecem em todo o livro. Essa desaceleração, porém, contribui muito para a quietude.

Se você não conseguir de forma alguma diminuir seu ritmo agora, em decorrência de crises, prazos ou compromissos, faça breves pausas com freqüência. Busque maneiras criativas de desacelerar. Se desejar, aproveite para experimentar as dez maneiras que mais gosto de usar para diminuir meu ritmo quando estou sob muita pressão: sair para uma caminhada; orar; recitar um versículo da Bíblia; cantar em voz alta; dançar a música-tema do filme *Zorba, o Grego*; olhar vitrinas durante alguns minutos, entre um compromisso e outro; escrever uma carta de encorajamento; dar uma volta de bicicleta no quarteirão; dar umas braçadas na piscina; ou simplesmente sentar ao volante e rir enquanto o carro passa por um lava-rápido!

Evite os perturbadores da paz

Adapte suas prioridades para ficar longe dos três infalíveis perturbadores da paz: querer agradar aos outros, competir com os vizinhos e preocupar-se com o que está fora do seu controle. A próxima vez que cair em uma dessas armadilhas, combine com uma amiga para ajudá-la a parar com isso.

> **LIVROS RECOMENDADOS SOBRE PAZ INTERIOR**
>
> Como conviver bem com as pressões, de Richard Swenson[4]
> Ponha ordem no seu mundo interior, de Gordon McDonald[5]
> *Surviving Information Overload* [Sobrecarga de informações vitais], de Kevin Miller[6]

ESTÁ NA HORA DE ENCONTRAR A PAZ INTERIOR

Você está pronta para dar esse passo na direção de Deus e do propósito que ele delineou para sua vida: *procurar a paz e segui-la*? Está pronta para ouvir a voz de Deus durante todo o dia? A Bíblia registra:

> Não se aflijam com nada; ao invés disso, orem a respeito de tudo; contem a Deus as necessidades de vocês, e não se esqueçam de agradecer-lhe suas respostas. Se fizerem isto, vocês terão experiência do que é a paz de Deus, que é muito mais maravilhosa do que a mente humana pode compreender. Sua paz conservará a mente e o coração de vocês na calma e tranqüilidade, à medida que vocês confiam em Cristo Jesus.[7]

Você está pronta para ter a paz interior que Deus deseja lhe conceder? Então, priorize a oração. Assim, encontrará a paz que a ajudará a ouvir a voz de Deus. Ouça atentamente as revelações que ele fizer sobre si mesmo e o propósito único que estabeleceu para você. Desejo do fundo do coração que assuma o compromisso de buscar a paz, pois ela faz toda a diferença do mundo e mudará sua vida para sempre!

A SABEDORIA DE DEUS PARA A CAMINHADA
O EXEMPLO DE VIDA DE MARTA E MARIA: BUSCAR A PAZ

Para aprender a lição das duas irmãs, Marta e Maria, leia Lucas 10.38-42. As mulheres que têm muitas responsabilidades para cumprir podem julgar difícil aceitar essa história. Um dia, somos mais como Marta, sempre ocupadas, servindo outros, e esquecemos que Jesus quer passar algum tempo conosco. A falta de tempo já a impediu de ficar na presença do Senhor? Nesse caso, que tal começar hoje a buscar sua companhia e a paz em meio à agitação?

Não raro, somos levadas a crer que o certo é ser como Maria. Mas a verdade é que, além de nos sentarmos, ininterruptamente, aos pés do nosso Senhor todos os dias (como Maria o fez), precisamos também pedir a Jesus que nos acompanhe em todos os momentos de nossa vida agitada (o que Marta não fez, de tão extenuada que estava). Simplesmente imagine Jesus esperando ser convidado para ir à cozinha de Marta para uma longa conversa enquanto trabalham juntos.

QUESTÕES PESSOAIS DA CAMINHADA

1. Como você consegue ouvir a voz de Deus o dia inteiro?
2. Cite algo que você faz atualmente para encorajá-la a buscar a paz ouvindo Deus. Considere a seguinte lista:
    - Atitude de ouvir constantemente
    - Horário de estudo bíblico
    - Orações-relâmpago
    - Registro em diário
    - Adoração individual ou em grupo (canção ou música instrumental)
    - Oração

- Momento de quietude (reflexão)
- Redução de tarefas
- Jejum espiritual

3. Que idéias da questão anterior você gostaria de experimentar para aumentar o desejo de ouvir?
4. O que dificulta o ato de ouvir Deus? O que você poderia fazer para diminuir essa dificuldade?
5. Antes de ler este capítulo, você já havia percebido que a busca da paz é um propósito planejado por Deus e entendia que pode buscar a paz orando e ouvindo Deus? O que essa informação pode ensinar a uma mulher que diz: "Só quero saber qual é o propósito da minha vida"?
6. O que Deus a está instigando a fazer para que busque a paz?

Notas

[1] Em conversa com a autora no monastério Benburb, Irlanda do Norte, durante a conferência do Peace People, realizada entre 5 e 8 de agosto de 1988. Reproduzido com permissão. Mairead é autora do livro *The Vision of Peace: Faith and Hope in Northern Ireland* (Nova York: Orbis, 1999).

[2] Havia sete vencedoras do prêmio Nobel da Paz na época. Em 2004, o número aumentou para 12: baronesa Bertha Von Suttner, Jane Addams, Emily Green Balch, Betty Williams e Mairead Corrigan, Madre Teresa de Calcutá, Alva Myrdal, Aung San Suu Kyi, Rigoberta Menchú Tum, Jody Williams, Shirin Ebadi e Wangari Maathai.

[3] Salmos 46.10, AEC.

[4] SWENSON, Richard A. *The Overload Syndrome.* Colorado Springs: NavPress, 1998 [*Como conviver bem com as pressões*, **Betânia, 2001**].

[5] MCDONALD, Gordon. *Ordering Your Private World.* Ed. rev. Nashville: Thomas Nelson, 2003 [*Ponha ordem no seu mundo interior*, **Betânia, 1988**].

[6] MILLER, Kevin. *Surviving Information Overload.* Grand Rapids: Zondervan, 2004.

[7] Filipenses 4.6,7, BV.

Capítulo 6

Arrependa-se e desvie-se de todos os seus males

> *Arrependam-se! Desviem-se de todos os seus males, para que o pecado não cause a queda de vocês. Livrem-se de todos os males que vocês cometeram, e busquem um coração novo e um espírito novo*
> (Ezequiel 18.30,31).

Antes de dar o próximo passo, quero que você levante a cabeça, espreguice, respire fundo e olhe ao redor. À sua frente, a luz do sol brinca na margem distante, tornando-a ainda mais atraente do que parecia no início. E atrás... bem, você faz idéia da distância que já percorreu? Pense nisso como algo que a encoraje antes de dar o próximo passo, pois este será o mais difícil.

A etapa *arrepender-se e desviar-se de todos os seus males* faz muitas mulheres vacilarem, como se estivessem aprendendo a dançar salsa (um passo à frente, com o pé esquerdo; um passo atrás, com o pé direito). Imagine a cena por um minuto. Ao longe, uma mulher atravessa cuidadosamente um rio, quando, de repente, fica agitada como se estivesse fugindo de um enxame de abelhas. Ela cambaleia para frente e para trás, atrapalhada, em uma dança sem ritmo. Você percebe que ela está perdendo o equilíbrio, mas nada pode fazer para ajudá-la. A única esperança é que ela se recomponha e prossiga, com calma e cuidado, até a próxima etapa.

Por que hesitamos diante do arrependimento? Acredito que todos sabem a resposta. O arrependimento requer que avaliemos nossa vida de pecados e mudemos nossos pensamentos e ações. Isso não é nada fácil. É necessário confiar em Deus, com nossas fraquezas e imperfeições, defender-nos da tentação, levar um estilo de vida consagrado e estarmos prontas para passar por profundas mudanças pessoais.

Embora pareça assustador, peço-lhe que dê esse passo. Estarei a seu lado se precisar de ajuda. Já treinei muitos passos de salsa neste trecho do caminho, por isso conheço-o bem. Hesitei, caí na água, bati o joelho na queda e tenho cicatrizes como prova disso! Apesar das feridas, posso afirmar que cada tentativa valeu a pena.

Deus sente prazer quando nos arrependemos e nos afastamos do pecado. Ao nos arrependermos, podemos ouvi-lo melhor e nos concentrar nos propósitos que ele tem para nossa vida. Na verdade — e eu não sabia disso anos atrás —, por causa do nosso pecado, Deus pode manter, intencionalmente, o propósito da nossa vida fora de foco.

Demorei um bom tempo para aprender que a formação do meu caráter — pecar menos, arrepender-me mais e ser mais obediente — era muito mais importante para Deus do que outra coisa qualquer que eu pudesse realizar por ele. Se isso me tivesse sido revelado, de maneira mais completa — o fato de que Deus tem um plano pessoal para cada uma de nós — acredito que eu teria me empenhado mais em meu crescimento espiritual e me sentido um pouco mais satisfeita durante os anos em que esperei ouvir sua voz.

POR QUE O PECADO TEM TANTA IMPORTÂNCIA?

Aos olhos de Deus, o pecado é um problema muito sério. Portanto, antes de prosseguir, vejamos melhor o que é pecado e quais as suas conseqüências. Pecado é um desvio intencional de Deus, uma transgressão que nos afasta dele.

Por isso, para que não reste nenhuma dúvida a respeito do significado de pecado, a Bíblia apresenta vários exemplos. Vejamos alguns, mencionados no livro de Efésios: depravação, toda espécie de impureza, luxúria, desejos enganosos, mentira, ódio, furto, imoralidade, amargura, ira, indignação, gritaria, calúnia, todo tipo de maldade, ganância, obscenidade, conversa leviana, escárnio, idolatria, obras infrutíferas das trevas, embriaguez e libertinagem.[1] E essa é apenas uma lista parcial de um único livro!

Arrependimento é o remorso ou a contrição sincera por uma conduta pecaminosa. É a compunção e pesar que despertam o desejo de mudança. Notou a palavra *mudança*? *Mudar* faz toda a diferença. Entenda bem: o pecado pode despertar dois tipos de contrição: a contrição *humana*, que, em relação ao pecado, não é nada mais do que frustração e orgulho ferido, e a contrição *santa*, que é produzida pelo Espírito Santo, de acordo com a vontade de Deus. A contrição santa é o desejo de manter a preciosa intimidade do nosso relacionamento com Deus. É o anseio de fazer todo o necessário para sermos santas perante ele.

> *Agora vá e abandone sua vida de pecado*
> (João 8.11)

Quando nos arrependemos verdadeiramente, nossas palavras de lamento condizem com nossas ações subseqüentes. A nova pessoa que nos tornamos é uma prova de nosso arrependimento. Essa verdade decisiva é ressaltada em Atos 26.20, quando Paulo afirma: "Preguei [...] dizendo que se arrependessem e se voltassem para Deus, praticando obras que mostrassem o seu arrependimento".

Percebe agora por que o arrependimento e o propósito devem andar lado a lado? Quando nossa vida muda, depois que confessamos (ou admitimos) e abandonamos o pecado, voltamo-nos mais para Deus. Quanto mais nos aproximarmos dele, mais estaremos preparados para ouvir dele sobre o propósito de nossa vida; quanto mais soubermos sobre o propósito de nossa vida, mais íntimos de Deus nos tornaremos. O pecado, por sua vez, sempre nos afastará dele, da sua voz e dos seus propósitos.

Tropeçando no pecado

O pecado é um problema universal que interfere no crescimento saudável do indivíduo, especialmente no desejo de cumprir os propósitos de Deus. Creio que você possa identificar-se com pelo menos alguns dos seguintes pecados universais: egoísmo, ciúme, insegurança, teimosia, ganância, preguiça, intolerância, ira, vícios ou obsessões e satisfação imediata. Se não se identificar com nenhum deles, espere 30 segundos e Deus fará você se lembrar de pelo menos um!

Essa lista perturbadora de pecados não foi obtida na Bíblia, embora pudesse muito bem ter sido, nem na última pesquisa de Harvard sobre mulheres mentalmente perturbadas; eu a cataloguei por meio de entrevistas que fiz com adolescentes detidos em presídios de segurança máxima por assassinato, estupro ou roubo. Devo esclarecer que havia pedido uma entrevista com as prisioneiras para um projeto de pesquisa chamado "Obstáculos ao plano de Deus na vida dos jovens", mas de alguma forma acabei entrevistando os detentos da ala masculina. Na verdade, o sexo dos entrevistados era o menos importante. O essencial era conseguir entrar!

Em sessões particulares com os detentos, monitorados por um guarda no lado de fora da sala, pedi que cada jovem citasse os três maiores obstáculos que enfrentaria se, milagrosamente, fosse solto naquele dia. Expliquei que não deveriam ser inclusos problemas cuja culpa eles jogassem sobre a família, os amigos, a falta de emprego ou de dinheiro. Queria que aqueles adolescentes se concentrassem em suas características e em seus hábitos pessoais e não assumissem o "papel de vítima". Aqueles garotos perigosos sabiam exatamente quais fraquezas pessoais destruiriam sua esperança de ter uma vida decente. Eles citaram todos os obstáculos (ou pecados) que você acabou de ler.

A outra pergunta que fiz foi: "Quais são as três sugestões que vocês dão para superar esses obstáculos?". Suas respostas, reformuladas em um nível de vocabulário socialmente mais aceitável, são apresentadas no quadro "Princípios para se ter uma vida melhor".

Princípios para se ter uma vida melhor: conselhos dados por detentos adolescentes

1. Viva um dia de cada vez. Não se precipite.
2. Identifique as distrações com antecedência, para poder eliminá-las.
3. Pense de forma positiva. Evite pessoas e influências negativas. Se possível, busque pessoas exemplares ou mentores que possam ajudá-la nos momentos difíceis.
4. Relaxe. Espaireça. Não se leve muito a sério. Ria mais com você mesma e com os outros. Divirta-se com passatempos bons e saudáveis.
5. Dê mais do que você espera receber.
6. Ore para que Deus a oriente em cada decisão, a fim de que aprenda a pensar no todo e na razão de você ter nascido, e não apenas em seus próprios desejos. Quando encontrar o seu lugar, envolva-se nele imediatamente. Isso a ajudará a manter-se longe de problemas.
7. Administre seu tempo e seu dinheiro com sabedoria. Procure ajuda, se necessário.
8. Recompense a si mesma quando realizar um bom trabalho. Cumprimente-se por tentar contribuir com sua família ou sociedade. Obtenha êxito ou não, seja condescendente com você mesma, com palavras e ações.
9. Esteja ciente do seu receio de ser bem-sucedida ou fracassar. Enfrente todos os medos e preocupações; não entre em pânico. Se não conseguir superá-los, ignore-os e siga em frente.
10. Diga aos outros especificamente aquilo de que você precisa, o que deseja e o que espera alcançar. Ninguém é capaz de ler sua mente; mas, em geral, as pessoas estão dispostas a ajudar.

Esses jovens apresentaram soluções e idéias avançadas para sua idade, tendo adquirido experiência com a vivência nas ruas. Certamente, eles não aprenderam os princípios para uma vida bem-sucedida com livros de auto-ajuda, mas pelo difícil caminho da tentativa e erro. Naquele dia da entrevista nenhum deles tinha todas as respostas que pedi, mas todos tinham mais de uma resposta.

A diferença-chave entre nós, que estamos livres, e aqueles garotos atrás das grades é que nós obedecemos a algumas regras básicas para a vida em sociedade. Sabemos que precisamos melhorar nosso caráter e que é essencial desenvolvê-lo para realizar a vontade de Deus. Entretanto, quem não se anima a buscar o plano de Deus, limita-se a falar sobre os "princípios para se ter uma vida melhor", mas não chega a praticá-los. As mulheres determinadas a buscar o propósito divino para sua vida passam por mudanças. Buscam seguir diretrizes que as tornem instrumentos mais úteis ao Senhor. Arrependem-se e pedem a Deus que ponha fim às fraquezas, aos obstáculos e aos pecados de sua vida. Essa disciplina intencional ajuda-as a se livrarem do excesso de peso, do supérfluo e das desculpas que as fazem viver mal, contribuindo para que se sintam livres para viver uma vida melhor.

Arrependimento: um passo libertador

O arrependimento é um dos passos mais libertadores que podemos dar na vida; ele nos traz muitos benefícios. Quando confessamos nossos pecados e nos arrependemos de tê-los cometido, somos perdoadas e recuperadas. O arrependimento livra-nos da vergonha, da culpa, da raiva, da desesperança e da amargura. Liberta-nos da escravidão do pecado e faz-nos manter um relacionamento mais profundo com Deus. Levadas ao arrependimento, estaremos livres para trabalhar de acordo com a vontade divina e não contra ela, recebendo tudo de bom que Deus tão graciosamente planejou para nós.

O arrependimento permite, tanto quanto possível, que sejam amenizadas as terríveis conseqüências de nossas ações pecaminosas. Mesmo que a lista das pessoas a quem prejudicamos com nossos pecados não seja muito extensa, é uma grande dádiva poder restabelecer ainda que seja um único relacionamento. Além disso, quando demonstramos sinceramente nosso arrependimento e fazemos as pazes com alguém, ficaremos menos inclinadas a pecar. Por quê? Porque, ao tentar fazer o que é certo, buscaremos restaurar nosso relacionamento com Deus, recuperar a confiança perdida, evitando tudo o que possa prejudicar não só nosso amor pelo Senhor como também a busca da santidade.[2]

Quando procuramos atender prontamente ao mandamento de Deus para nos arrepender, o foco de atenção logo passa para o lado libertador do pecado. Por exemplo, em vez de se aborrecer com sua impaciência, você pode reconhecer o progresso que fará quando for paciente. Em vez de se preocupar com seu orgulho, você pode começar a praticar a humildade. Em vez de se odiar por roubar, você pode decidir ser generosa. Em vez de se sentir derrotada com suas reclamações e intrigas, você pode decidir pensar em bênçãos e encorajamento para compartilhar com os outros. Em vez de ficar deprimida por mentir e ludibriar os outros, você pode pedir que Deus a ajude a viver com integridade e autenticidade. O arrependimento liberta-a para que, em lugar de se preocupar com seus fracassos, você se dedique ao progresso espiritual, por mais lento que ele pareça ser.

Como você se sente? Está ansiosa para se libertar de tudo o que a impede de viver a vida para a qual Deus a criou? Então, faça uma lista dos obstáculos e pecados que não permitem que você alcance esse ideal, apresente-a diante de Deus e disponha-se a evitar essas tentações no futuro.

COMO LIDAR COM OS PECADOS QUE INTERFEREM NO PROPÓSITO DA VIDA

Um obstáculo que pode nos impedir de buscar o propósito da vida é o orgulho. Não há dúvida quanto ao que devemos fazer com ele. Deus espera que resolvamos todas as formas de preconceito e arrogância, mesmo a vaidade da falsa humildade (ter orgulho da própria humildade!). Há advertências contra o pecado do orgulho espalhadas por toda a Bíblia: "O orgulho vem antes da destruição; o espírito altivo, antes da queda";[3] "O SENHOR detesta os orgulhosos de coração. Sem dúvida serão punidos".[4] Portanto, sempre que nos percebermos tentando ganhar atenção, crédito ou reconhecimento, precisamos deixar que Deus lide com nosso espírito orgulhoso.

Aprendi essa lição a duras penas. Fui convidada a prestar um testemunho de oito minutos em minha igreja e pedi ao Espírito Santo que realizasse sua obra por meu intermédio. Mas, alguns dias depois de receber os agradecimentos dos amáveis membros da congregação, disse a uma amiga: "Gostei tanto de receber os cumprimentos, que receio ter deixado Deus em segundo plano. Minha atitude se tornou: 'Eu, eu, eu! Deus, veja como sei andar no meu triciclo'".

Ela retrucou: "Talvez você realmente tenha roubado um pouco da glória de Deus, mas a misericórdia do Senhor renova-se a cada dia. Eu também gostaria de perceber quando estou prestes a me tornar orgulhosa por causa daquilo que Deus realiza por meu intermédio. Sinto-me como a personagem de Bill Murray no filme *Feitiço do tempo*. Ele precisava viver o mesmo dia várias vezes. Vivo repetindo as mesmas cenas que envolvem o meu ego. Vamos combinar de uma policiar a outra quanto à tendência de incorrer nesse erro".

> *Se ficar totalmente envolvida com você mesma, acabará se tornando um exagero de pessoa.*
> JANE ANN CLARK

Até hoje, sou grata por esse policiamento. Deus sabia que eu orava por um coração puro e estava pronta para uma lição mais severa sobre quem deveria receber toda a glória. Pouco depois dessa conversa com minha amiga, deparei com uma passagem da Bíblia raramente citada — a que narra a morte do rei Herodes. Ela me deixou horrorizada e reafirmou minha vontade de livrar-me do pecado do orgulho:

> Herodes concedeu uma entrevista e, quando chegou o dia, pôs as vestes reais, sentou-se no trono e fez um discurso para eles. Ao terminar, o povo fez uma grande aclamação a ele, gritando: "É a voz de um deus, e não de um homem!"
>
> No mesmo instante, um anjo do Senhor feriu Herodes com uma doença, de modo que ele ficou cheio de bichos e morreu — porque aceitou a adoração do povo, em lugar de dar glória a Deus.[5]

Mais tarde, descobri uma história semelhante a respeito de Uzias, um poderoso rei de Judá. Por causa do seu orgulho, Deus feriu-o com lepra, obrigando-o a viver isolado pelo resto da vida.[6] Esses exemplos convenceram-me de que Deus abomina o orgulho. Posso até imaginar seu olhar de desprezo diante disso.

P̲a̲i̲, perdoa-me

Com o passar do tempo, comecei a sentir cada vez mais dificuldade de confessar e de me arrepender de pecados como orgulho, impaciência, imprecação, mentira, intriga, manipulação, furto, ira, ganância e embriaguez (Sim, eu sou um doce!). Meus terríveis pecados não desapareceram porque me fortaleci e consegui rejeitá-los sozinha. Na verdade, em todas as situações, a graça de Deus fez que ele desejasse vir ao mundo para me salvar de meu próprio ego pecaminoso.

Em alguns casos, Deus permitiu que eu experimentasse uma conseqüência dolorosa ou constrangedora, que me fez abandonar determinado hábito destrutivo. Em várias ocasiões, ele me deu novo entendimento sobre minha própria vida ou sobre a vida de alguém, o que afastou de mim o desejo de cometer algum pecado. Em outros momentos, ele me deu um chamado sublime, um motivo nobre, impossível de ser ignorado — por exemplo, a criação dos filhos, um cargo de liderança no ministério ou um estilo de vida mais saudável. E, às vezes, ele simplesmente reforçou minha confiança, minha obediência ou meu amor.

Deus age de diversas maneiras quando lhe confessamos os pecados e deles nos arrependemos. Podemos nos livrar de todos os maus hábitos que quisermos. O arrependimento pode se tornar um meio de transformação tão eficiente que, tão logo você o ponha em ação, não conseguirá nem saber como chegou do ponto "A" ao ponto "B" ou "C", a menos que faça um registro desses momentos de transição. Por exemplo, descobri em meu diário algumas idéias há muito esquecidas sobre dois de meus pecados: blasfêmia e furto. Vou explicar o que aconteceu.

O desejo de parar de blasfemar crescia cada vez mais em meu coração. Fiz várias insinuações a uma amiga porque me sentia mal por ela "praguejar como um marinheiro bêbado", mas minhas tímidas súplicas não causaram nenhum efeito. Um dia, fiquei tão triste com esse pecado em minha vida, que decidi afastar-me dessa amiga que o cometia com freqüência. Orei para ter a coragem de me arrepender e fazer o que precisava ser feito. Escrevi:

> Senhor, ultimamente, tu tens me mostrado que sou uma péssima representante tua quando uso minha boca para amaldiçoar. De fato, meu coração encolhe-se quando ouço X usar teu nome em vão. Sempre me senti mal com isso, mas agora está insuportável. Peço-te coragem para falar com mais franqueza com essa amiga ou para cortar essa amizade. Agora, lamento muito as vezes em que blasfemei. Não quero mais amaldiçoar nem andar com pessoas que o fazem. Por favor, ajuda-me a mudar.

Em outra ocasião, deparei com mais um pecado que eu costumava cometer, ao pedir para uma amiga de outra cidade telefonar para mim, quando ela estivesse no trabalho, para conversarmos. Ela me disse que se sentia mal em fazer ligações interurbanas do local de trabalho, pois assim estaria usando o dinheiro da empresa. Para ela, pior que o custo da ligação era o tempo que passaria sem trabalhar, conversando. Quando ri do seu comentário, que me pareceu ridículo por causa de um mero telefonema, explicou-me que ela e seu marido sempre conversavam sobre ética no trabalho. Ele, um oficial aposentado do Exército, graduado em West Point, costumava citar o código de honra que aprendera quando era cadete: o cadete não mente, não engana, não rouba, nem tolera aqueles que o fazem. Ela disse que essa simples declaração desafiava constantemente os cadetes a analisarem seu próprio comportamento.

> Muitas vezes as pessoas juntam as mãos e dizem: "Quero saber qual é a missão para minha vida." Enquanto isso, fazem manobras perigosas nas estradas, não dão a menor atenção quando alguém as interrompe, castigam colegas que ferem seus sentimentos e negam quando incorrem em erro. Provavelmente, os anjos riem desse espetáculo, pois, na verdade, a missão dessas pessoas está bem diante de seus olhos, nas estradas, nas interrupções, nas feridas e nas confrontações.
> RICHARD NELSON BOLLES[7]

Com esse novo ponto-de-vista a considerar, minha mente decidiu fazer serão durante vários meses. Passei a examinar seriamente meus conceitos e minhas atitudes. Comecei a me questionar sobre o "roubo" no trabalho: por exemplo, usar o serviço de correio da empresa para correspondência pessoal ou lançar o almoço com amigos nas despesas de trabalho. Então, escrevi:

> Senhor, agora sei que não é correto "tomar emprestado" material do escritório para usar em casa. Por favor, perdoa-me.

Decidi fazer um cheque ao Sr. X para pagar o material que peguei. Não será fácil, mas pedir perdão a ele será ainda mais humilhante. Lamento muito tudo isso. Obrigada por usar a influência de minha amiga e de seu marido para mudar meu procedimento. Por favor, faça de mim uma mulher digna de ti.

Eu tinha esquecido da confissão desses dois incidentes que me levaram ao arrependimento. Fico feliz por tê-los registrado, embora sejam terrivelmente constrangedores. Eles me ajudaram a ver o poder que Deus tem de eliminar os pecados da minha vida sempre que lhe peço isso. Agora, digo: "Senhor, se foste capaz de corrigir meu hábito de imprecar e roubar, certamente resolverás este outro problema".

Sei que existirão "outros problemas" para eu resolver, assim como você também os terá. Apesar de hesitarmos no início em dar o passo do arrependimento, também podemos abraçar a oportunidade porque ela nos permite continuar a buscar o propósito de Deus para nossa vida.

Guia de viagem para praticar o arrependimento

O arrependimento é uma prática que se torna bastante familiar para nós quando procuramos ouvir o que Deus diz sobre o propósito único que ele tem para cada uma de nós. As sugestões descritas a seguir irão ajudá-la a percorrer sua caminhada com propósitos e a fazer grande progresso.

Volte-se para Deus

Você está buscando o arrependimento, dizendo: "Preciso admitir meus pecados diante de Deus?". Se a resposta for "sim", faça tudo o que for necessário — orar continuamente, meditar sobre a Palavra de Deus, buscar aconselhamento cristão ou terapia, fazer um estudo, conversar a respeito, ler livros — para que Deus sinta prazer em ajudá-la. Seu Criador ama você e quer que seja bem-sucedida na missão que estabeleceu para sua vida. Volte-se para ele e peça-lhe que a conduza por meio das Escrituras, de uma pessoa, de uma circunstância ou de uma atividade que a ajude a mudar seus hábitos.

Memorize as Escrituras

Você pode memorizar Romanos 7.18, uma das passagens da Bíblia mais confortadoras sobre o arrependimento: "... Tenho o desejo de fazer o que é bom, mas não consigo realizá-lo". Isso é uma grande verdade na minha vida! Não uso essa declaração do apóstolo como desculpa para você continuar pecando, mas como um lembrete para você ser paciente consigo mesma. Deus sabe o quanto é difícil mudar os maus hábitos. Apenas lembre-se de que está obedecendo a um Deus que a ama muito e que não ficará bravo com você se não conseguir acertar na primeira vez.

Considere as conseqüências de seu pecado

As conseqüências de seu pecado podem ser grandes, como as de perder o emprego, o casamento, a família, as posses, o estudo, a reputação, a auto-estima, a paixão ou a esperança, só para citar algumas. Essas conseqüências podem, também, até afetar sua próxima geração, como quando um descendente segue o exemplo dos pais e continua um ciclo de pecado, como maus-tratos ou vício.

> *Mas ele me disse: "Minha graça é suficiente para você, pois o meu poder se aperfeiçoa na fraqueza". Portanto, eu me gloriarei ainda mais alegremente em minhas fraquezas, para que o poder de Cristo repouse em mim* (2Coríntios 12.9).

Pense um momento sobre um pecado confessado em sua vida. Quais foram os resultados positivos (diretos ou indiretos) que o arrependimento lhe trouxe? Agora, pense em um pecado atual do qual você não se tenha arrependido ainda. Quais são as possíveis conseqüências negativas desse pecado? Peça a Deus hoje que lhe perdoe e a livre da influência desse erro. Não peça apenas que evite as possíveis conseqüências negativas, mas que lhe perdoe, porque Deus é poderoso e espera que você se arrependa.

Considere as bênçãos perdidas

O pecado também pode impedir que você receba bênçãos, como relacionamentos profundos, alegria, paz, uma função de liderança, boa saúde, intimidade com Deus, crescimento espiritual, desenvolvimento do caráter ou estabilidade financeira. Lembre-se de um pecado antigo e pergunte a si mesma: "Que bênção posso ter perdido por causa desse pecado?". Depois, pense em um pecado que você esteja cometendo atualmente, do qual não se arrependeu, e identifique as bênçãos que você poderia perder por causa dele.

Aceite ser corrigida

Peça ao Espírito Santo que a alerte sobre seus pecados e prepare seu coração para ouvir e aceitar correções. A correção pode vir inesperadamente de uma amiga, durante uma conversa, ou do coração de Deus diretamente para o seu, durante um momento de solidão e de quietude planejado. Em resposta a essa advertência, quanto a parar de pecar, fuja de uma tentação durante a semana. Não peça desculpas a ninguém por fugir dela e não olhe para trás. Simplesmente fuja!

Seja sincera a respeito dos cinco pecados

A seguir, você encontrará uma lista de cinco pecados que podem desviá-la do plano de Deus. Use-a para identificar algumas de suas tendências pecaminosas e descobrir se está pronta para realizar a vontade de Deus para você. O exercício revelará se está, de fato, disposta a cooperar totalmente com o plano de Deus. Peça a ajuda de uma amiga franca, se necessário.

CINCO PECADOS QUE PODEM DESVIÁ-LA DO PLANO DE DEUS

1. **Inveja.** Você tem inveja da vizinha ou da amiga que tem um marido adorável? Tem inveja da importância ou da magnitude da missão de vida de alguém?
2. **Ira.** Você está zangada por causa de doença, divórcio ou injustiça? Está zangada porque não sabe o que Deus quer de você? Está zangada com as pessoas que estão atrapalhando a visão que Deus lhe deu?
3. **Orgulho.** Você gosta de chamar a atenção para suas realizações? Vangloria-se da sua importante atribuição? Luta com Deus para assumir o controle do caminho que deverá seguir?
4. **Desobediência.** Você ignora os necessitados? Está ocupada demais para orar? Negligencia sua família para realizar o propósito único de sua vida?
5. **Desonestidade.** Você mente, engana ou rouba? Deixa de cumprir suas obrigações financeiras para financiar seu sonho de construir o reino?

Faça esta oração

Quando fizer esta oração, dê uma prova de fé e peça a Jesus para ajudá-la. Peça-lhe que a tire da situação atual e a faça ser a pessoa que ele deseja.

Querido Jesus, com gratidão, a ti...

... eu ofereço:	*... peço que me dês:*
meu orgulho e meu ego	humildade
minha impaciência	paciência
meu desespero	esperança
minha raiva	alegria
minha irritação	benevolência
minhas mentiras	verdade
meu autoritarismo	serenidade
minha dúvida	fé
meu desânimo	perseverança

Senhor, sei que, por ser humana, continuarei a pecar; mas, por favor, ajuda-me a reconhecer pecados, como raiva, desânimo, dúvida ou ganância, com mais rapidez e a me arrepender deles. Se antes demorava uma semana, que agora leve um dia, uma hora, um minuto ou um segundo para tanto. Não quero, por causa deles, pecar contra ti nem privá-lo de minha obediência. Por favor, dá-me força agora. Em nome de Jesus, amém.

LIVROS RECOMENDADOS SOBRE MUDANÇA DE HÁBITOS

Make Anger Your Ally [Faça da raiva sua aliada], de Neil Clark Warren[8]
Senhor, transforma-me!, de Evelyn Christenson[9]
Breaking Free [Libertando-se], de Beth Moore[10]

ESTÁ NA HORA DE SE ARREPENDER

Está pronta para dar mais o seguinte passo na direção de Deus: *arrepender-se e desviar-se de todos os seus males*? Em caso afirmativo, tenha coragem porque, por mais difícil que seja, esse passo trará grande alegria. Na verdade, as Escrituras afirmam que os anjos no céu se alegram sempre que um pecador se arrepende![11] E o apóstolo Paulo diz: "Agora, porém, me alegro, *não* porque vocês foram entristecidos, mas porque a tristeza os levou ao arrependimento".[12] Portanto, quando puser seus pecados diante de Deus, permita que alguém em quem você confie caminhe ao seu lado, encoraje-a e partilhe sua alegria.

Você está disposta a abandonar os maus hábitos que controlam sua vida e a mantêm cativa? Você contará a alguém sobre sua decisão de procurar arrepender-se? Você está pronta para se libertar e se tornar uma mulher de caráter, ansiosa por alcançar o arrependimento de todos os pecados que desviam seu coração de Deus e de seu propósito na Terra? Então, vá em frente, dê mais um passo e arrependa-se de seus pecados. O Senhor está esperando você.

A SABEDORIA DE DEUS PARA A CAMINHADA

O EXEMPLO DE VIDA DA MULHER SAMARITANA: ARREPENDER-SE E DESVIAR-SE DE TODOS OS SEUS MALES

Para aprender a lição da anônima samaritana — dar um passo na direção do arrependimento —, leia João 4.7-42. Jesus falou com a mulher quando ela foi pegar água em um poço. Ele disse que sabia que ela teve cinco maridos e que, agora, vivia com um homem que não era seu marido. Depois da revelação de que ele era o Messias do mundo, ela se tornou evangelista e conduziu as pessoas de sua cidade para Jesus.

Seu arrependimento pode provocar uma conversão drástica, como a da mulher diante do poço, mas qual é o pecado ou problema de caráter que a está afligindo? Você se arrependerá agora e se desviará desse mal?

QUESTÕES PESSOAIS DA CAMINHADA

1. Com que freqüência você confessa seus pecados a Deus?
2. Cite um dos fatores que a faça estar pronta para se arrepender. Veja alguns exemplos:
   - Saber que Jesus me perdoou
   - Ser corrigida por alguém que amo e em quem confio
   - Um versículo da Bíblia que toque meu coração
   - Um livro que explique por que tenho a tendência de cometer determinado pecado e como evitá-lo
   - Ser surpreendida no erro; ficar constrangida
   - Concentrar-me no inverso do pecado (por exemplo, humildade, integridade, encorajamento)
   - Ver a feiúra de determinado pecado na vida de alguém
3. Que idéias da questão 2 você usará agora para aumentar seu desejo de se confessar e se arrepender?

4. O que Deus está induzindo você a fazer para que apresente a ele determinada fraqueza?

5. Qual é a sua resposta para este versículo: "... livremo-nos de tudo o que nos atrapalha e do pecado que nos envolve, e corramos com perseverança a corrida que nos é proposta" (Hebreus 12.1)?

Notas

[1] V. Efésios 4.19—5.21.
[2] V. 2Coríntios 7.10,11.
[3] Provérbios 16.18.
[4] Provérbios 16.5.
[5] Atos 12.21-23, BV.
[6] V. 2Crônicas 26.1-21.
[7] BOLLES, Richard Nelson. *What Color Is Your Parachute?*. Berkeley, Califórnia: Ten Speed Press, 1995, p. 457, atualizado anualmente [*Qual a cor do seu pára-quedas?*: como conseguir um emprego e descobrir a sua profissão ideal, Sextante, 2000]. Reimpresso sob licença. Copyright © 1995, Richard Nelson Bolles. Tradução livre.
[8] WARREN, Neil Clark. *Make Anger Your Ally.* Colorado Springs: Focus on the Family, 1990.
[9] CHRISTENSON, Evelyn. *Lord, Change Me,* ed. reimp. Colorado Springs: Chariot Victor Publishing, 1993 [*Senhor, transforma-me!*, **Mundo Cristão, 1995**].
[10] MOORE, Beth. *Breaking Free.* Nashville: Broadman and Holman, 2000.
[11] V. Lucas 15.7,10.
[12] 2Coríntios 7.9; grifo da autora.

Parte IV

Caminhe a segunda milha

O propósito divino do *ministério* para você: servir outros

Capítulo 7

Lavem os pés uns dos outros

> *Pois bem, se eu, sendo Senhor e Mestre de vocês, lavei-lhes os pés, vocês também devem lavar os pés uns dos outros. Eu lhes dei o exemplo, para que vocês façam como lhes fiz. [...] Agora que vocês sabem estas coisas, felizes serão se as praticarem*
> (João 13.14,15,17).

Espero que você esteja ansiosa para dar mais um passo em direção à descoberta do propósito único de Deus para sua vida. Embora possa ter sido difícil para você, o arrependimento era necessário para superar aqueles desafios, porque o passo que você está prestes a dar também é desafiador. Mas não se sinta intimidada, pois sua jornada até o momento deixou-a bem preparada. Vamos apressar o passo e ver aonde Deus nos levará.

A etapa *lavar os pés uns dos outros* pode despertar em algumas pessoas um acesso de choro ou de lamentação. A princípio, a vontade é de sentar na primeira rocha que encontrar no rio para não ter de desempenhar essa tarefa e resmungar: "Sinto muito! Não farei isso". Se for essa a sua tendência, permita-me lembrar-lhe um fato inegável: era tão importante para Jesus que seus seguidores servissem uns aos outros, que ele próprio lavou os pés de seus discípulos.[1]

Não sei se você reparou, mas Jesus costumava dar, pessoalmente, o exemplo de tudo o que queria que assimilássemos e imitássemos. Ele nos mostrou como encontrar a paz quando foi, sozinho, orar e ouvir o Pai (v. capítulo 5). Ele nos mostrou como é viver com resignação quando disse ao Pai, no jardim do Getsêmani: "... Não seja como eu quero, mas sim como tu queres" (mais detalhes no capítulo 10).² Portanto, seria tolice ignorar o exemplo do serviço de Jesus. Como modelo de comportamento, ele nos fornece toda a inspiração para seguirmos seu exemplo. Ensina claramente que o serviço humilde é um requisito da fé em ação.

Por mais que reclamemos das altas expectativas exigidas na etapa do serviço, Deus nunca teve nem tem a intenção de retirar essa pedra. Suas irregularidades e fissuras talvez não nos atraiam, mas, aos olhos de Deus, trata-se de uma linda pedra. Ele não a enviará de volta à fábrica para ser polida. O serviço humilde pode não estar em nossa lista de prioridades, nem ser muito popular entre as massas, mas é o que Deus deseja.

Um requisito com ricas recompensas

Sei que o ato de servir outros trará a você momentos em que desejará gritar: "O que estou fazendo aqui?"; ou: "Socorro! Ajudem-me!". Eu mesma passei por isso. Mas o serviço também é muito gratificante e compensador. Embora algumas tarefas nos façam encolher de medo, pude atestar que as mulheres são naturalmente inclinadas a se dedicar aos outros. Uma mulher sem o menor desejo de ajudar os outros é tão difícil de ser encontrada quanto uma que não sente a menor vontade de comer chocolate ou outra guloseima proibida! Agora, cá entre nós: você já se atreveu a perguntar o que pode receber em troca por servir?

Lavar os pés uns dos outros é um pequeno propósito de cada dia. Gostaria de saber isso anos atrás. Como mencionei no capítulo 3, se eu soubesse que os pequenos atos de serviço aos quais dediquei minha vida eram importantes para Deus, teria encontrado uma linha direta para a esperança! A certeza de que aqueles atos aparentemente insignificantes faziam parte do plano de Deus para mim teria me ajudado a superar as diversas crises de desânimo pelas quais passei com relação à importância da minha vida e da minha caminhada.

Além disso, o serviço humilde nas ações cotidianas, em geral, leva-nos a servir em um cenário maior. Nenhum serviço, por mais insignificante que seja, passa despercebido ou é desprezado por Deus. Já ouvi muitas histórias que contam como Deus agiu de forma poderosa para ampliar a influência ou os ministérios de servos fiéis que lhe obedeceram. São os santos aos quais ele confia tarefas que requerem uma obediência ainda maior. São as pessoas que Deus se compraz em exaltar porque seguiram seu desígnio de vir não "para ser servido, mas para servir".[3]

O serviço fiel também lhe traz a recompensa de aprender a ter empatia e paciência enquanto cumpre o propósito de sua vida. Mesmo que esse fosse o único benefício dessa etapa, já valeria a pena. Mas existe um incentivo ainda maior: o privilégio de conhecer melhor o Deus a quem você serve e a bênção de se aproximar mais dele.

> *Procure descobrir onde Deus está agindo e junte-se a ele!*[4]
> HENRY BLACKABY E CLAUDE KING

Quando você se junta a Deus para servir, aprende a depender dele e o terá como a origem e a força por trás de suas atribuições e de seus dons. E, como seguirá os passos do ministério de Jesus, irá tornar-se mais semelhante a ele. Passará a pôr em prática o que ele ensina em sua Palavra e experimentará a alegria de se manter firme nessa pedra e de servir conforme a orientação de Deus.

NÃO TENHA MEDO DE VACILAR

O objetivo de Deus é que nos tornemos servas abnegadas e obedientes, dispostas a servir em qualquer tempo e lugar sem questionar as tarefas. Algumas dessas atribuições serão perfeitas para você; outras serão difíceis de desempenhar ou causarão certo desconforto. Mas Deus quer que sirvamos a ele de todo o coração, seja qual for a tarefa. Sem dúvida, ele não espera que cristãs recém-convertidas comecem com essa atitude, mas que seja cultivada conforme amadurecerem na vida cristã.

Agradeço muito a Deus sua graça em aceitar nossos esforços sinceros de servir, porque já vacilei muito nesse trecho da caminhada. Sou grata por ele não me ver como um empecilho, pois eu mesma sinto vergonha de algumas de minhas hesitações.

Uma delas ocorreu quando uma amiga me confessou: "Às vezes, me sinto como uma erva daninha desprezível e inútil como cristã, pois não consigo encontrar um ministério que tenha prazer em exercer". Minha reação inicial foi a de partilhar sua tristeza, mas, secretamente, senti uma desagradável ponta de orgulho. Devo admitir que, por dentro, fiquei convencida e satisfeita porque sempre, desde criança, senti o ímpeto de ajudar as pessoas.

Felizmente, Deus foi gracioso comigo e logo me fez lembrar do quanto foi difícil minha transição para o ministério formal da igreja e as oportunidades que encontrei em missões. Por algum motivo, tive de fazer um grande esforço para deixar de ser uma cristã agradecida, centrada no crescimento pessoal e na santidade, e me transformar em uma cristã pronta a servir, determinada a me tornar as mãos e os pés de Deus para os outros. Sentia-me extremamente desajeitada e acanhada nesse período.

Lembro-me claramente do que senti quando solicitaram que eu assumisse minha primeira função de um ministério leigo: a de receber as pessoas no domingo de manhã. Aqueles dolorosos sentimentos só podem ser comparados aos vividos nas experiências de um acampamento de que participei. Se você aprecia os acampamentos rústicos, como ficar em uma pequena barraca perto de um rio gelado, por favor perdoe-me, porque detesto a experiência. Minha idéia de *rústico* é um hotel sem serviço de quarto.

Apesar da minha aversão a acampamentos, naquela ocasião concordei em ir porque meu marido fez chantagem emocional:

"Seu filho de dois anos quer que você vá a seu primeiro acampamento", ele implorou. Obviamente, não pude resistir. Sobrevivi ao perigoso passeio na montanha, ao enxame de abelhas, à invasão das formigas, às terríveis mutucas e à comida queimada. Entretanto, quando nosso vira-lata de pastor alemão repentinamente confundiu meu pé com um peixe no rio, para mim foi o fim. Gritei sem a menor hesitação: "Me tirem daqui! Não me importa o que meu filho deseja, quero que me levem para o Hilton, agora!".

Eu não era mais indicada para ser recepcionista no culto de domingo de manhã do que seria para participar de acampamentos. As duas atividades deixavam-me tensa; concluí que ninguém precisa servir ou tirar férias com um nó no estômago. Deus tinha muitos servos com um grande coração para receber os visitantes na igreja, da mesma forma que tinha muitos campistas felizes. Fosse esse sentimento a lógica divina fosse uma desculpa para não sair da minha comodidade, comecei a buscar outras oportunidades de ministério.

O surpreendente é que Deus pode usar qualquer experiência de serviço, fácil ou difícil, para nos ajudar a reconhecer a necessidade de crescimento espiritual. Se você deseja um dia cumprir ou apreciar os propósitos ordenados por Deus, precisa amadurecer. É por isso que a etapa de servir é tão importante.

Nosso objetivo em servir é glorificar Deus. E, quando buscamos esse objetivo, o desejo de desenvolver o coração humilde de um servo e de crescer espiritualmente se torna maior. À medida que crescemos espiritualmente, damos mais glória a Deus, o que nos ajuda a ver o valor de adotar disciplinas que produzem maturidade espiritual, como os momentos de quietude, a leitura da Bíblia, o jejum, a contribuição do dízimo e a aplicação de outras valiosas práticas. Essas disciplinas, por sua vez, alimentam nosso anseio de crescer e de amadurecer. Portanto, embora possamos titubear para servir, a princípio esse passo é decisivo para nos tornarmos mulheres com propósitos. Assim que assumimos o compromisso de servir, entra em ação um ciclo completo de crescimento!

Fundamentos do teste de obediência

Às vezes, Deus pode nos levar a servir em uma área de nossa preferência porque quer que nos acostumemos com a idéia de servir outros. Ele nos pode oferecer a opção de passar de uma oportunidade de serviço para outra, de acordo com nossa vontade. Dessa forma, podemos descobrir sozinhas os ministérios por nós preferidos e aqueles para os quais estamos mais bem preparadas. Pode ser o ministério de visitas a hospitais, o de servir refeições, o trabalho voluntário na administração da igreja, evangelização em prisões e assim por diante. Em pouco tempo, encontramos os ministérios que despertam nossa paixão e vemos que é um prazer e um privilégio servir. Então, crescemos e florescemos como uma planta em bom solo e sob as condições apropriadas.

Com o passar do tempo, cumpri meu dever, investigando e experimentando várias oportunidades de ministério. Notei que a regente do coral, por exemplo, encolhia-se quando me via chegar. Será que era porque eu desafinava ou conversava demais nos ensaios? Percebi, também, que teria uma vida muito mais longa se não entrasse para o grupo que dava assistência ao abrigo; era um grupo altamente respeitado, mas esse tipo de ministério produzia em mim muita tristeza. Reconheci, ainda, que seria muito melhor para a igreja manter-me longe do ministério de finanças (era exato demais para mim).

> *"... só me revelarei àqueles que me amam e me obedecem. O Pai também os amará, e Nós haveremos de vir e morar com eles. Todo aquele que não me obedece, não me ama"* (João 14.23, 24, BV).

O processo para experimentar diferentes ministérios até encontrar meu "nicho" ajudou-me a descobrir que gostava muito de fazer entrevistas, orientar sobre o propósito da vida, escrever e ensinar. Para mim, portanto, não foi surpresa trabalhar por tantos anos como entrevistadora do ministério, ajudando outras mulheres na igreja a identificar a área para a qual Deus as estava conduzindo. Pouco depois, ajudei também a redigir a primeira versão do currículo de treinamento para as orientadoras desse programa, que ensinava como realizar as entrevistas.

Passei no primeiro teste! De maneira obediente, dei os passos necessários para encontrar um ministério em que me sentisse bem. Mas quem quer servir somente nas áreas que lhe dão prazer e nas quais se sente confortável e competente? Eu não; e acredito que nem você. Nós não somos espiritualmente covardes! Portanto, o próximo passo é o de enfrentar um teste de obediência mais avançado.

Pós-graduação no teste de obediência

Às vezes, Deus nos pede para servir em uma tarefa totalmente fora de nossa comodidade ou habilidades pessoais. Ele pode fazer isso para aumentar nossa fé ou nos ensinar uma lição valiosa. Com toda a sinceridade, tarefas desse tipo ainda me soam tão terríveis quanto a ordem: "Vamos acampar!". Eles podem despertar o sentimento de autocomiseração: "Pobre de mim!". Sempre me arrependo quando tenho essa reação, pois sei que, se realmente me importar com o que o Pai deseja de mim, não haverá lugar para autopiedade.

Em minha viagem a Calcutá, Deus me deu uma dessas atribuições estranhas que em nada se relacionava comigo. Quem me viu tentando escapar daquela situação disse que o descontentamento estava estampado em meu rosto.

Como somente Deus poderia ter planejado, minha mãe e eu acabamos nos oferecendo como voluntárias em um asilo psiquiátrico feminino; na verdade, um lugar para pessoas rejeitadas pela sociedade. Depois de servir um almoço com leite, frutas e mingau para aquelas mulheres que tinham sido recolhidas das ruas, pediram-me que as entretivesse e estimulasse a fazer um pouco de exercício. Com grande entusiasmo, ensinei às pacientes minha versão da giga irlandesa, um alegre misto de polca e cancã. Até aí, tudo bem.

Depois, uma das missionárias entregou-me um cortador de unhas e pediu-me que cortasse as unhas das pacientes. Contrariada, tentei reunir coragem com pensamentos de auto-afirmação do tipo: "Tudo bem; posso fazer isso". Desesperada para saber que atribuição minha mãe recebera, fui espiar o que ela estava fazendo. Logo fiquei com inveja porque, para mim, sua tarefa era mais fácil que a minha. Colocaram-na para exercitar os braços das pacientes. Então, pensei: "Hum, talvez ela troque de lugar comigo".

Mas, exatamente nesse momento, notei uma ulceração no braço de uma de suas pacientes. Em questão de segundos, concluí que era muito melhor cortar unhas grosseiras do que encarar uma séria infecção. Assim, voltei satisfeita para as unhas, enquanto minha mãe chamava uma enfermeira para ajudá-la a cuidar da ferida da paciente.

Com certa relutância, comecei a cumprir meu dever quando, inesperadamente, a paciente colocou o pé no meu colo, prevendo que eu cuidaria dele. Era um pé realmente grande ou, pelo menos, assim parecia aos meus olhos arregalados! Estava todo rachado e esbranquiçado por não usar sapatos há anos. Quando olhei para o rosto enegrecido e sobrenatural da mulher e seu sorriso desdentado, reconheci que era a pessoa com a qual mais tinha simpatizado naquela tarde. Ela cantara para mim, em inglês, a música *It's Now or Never*, de Frank Sinatra. Será que Deus estava brincando comigo? Será que era "agora ou nunca" que eu teria de aprender a servir quando ele me pedisse?

Fechei os olhos para reunir todas as forças que me restavam e, então, uma coisa incrível aconteceu. Vi a imagem de Jesus lavando os pés dos seus discípulos e senti que Deus estava pedindo-me para fazer o mesmo com aquela mulher. Olhei ao redor em busca de água, porque a teria usado com prazer em obediência *e* para ter um pé limpo no meu colo, mas não encontrei sequer o volume de uma xícara. Então, tomei coragem e comecei a cortar suas unhas. Foi uma agradável surpresa quando me vi brincando com seus dedos: "Este porquinho foi ao mercado...".

Fiquei orgulhosa de mim mesma por ter obedecido, quase imediatamente, à entrega de uma tarefa que considerava desagradável. O olhar de gratidão que encontrei naquele rosto me deixou admirada. Percebi que Deus não apenas encheu de alegria, por meu intermédio, o seu coração, mas permitiu que eu sentisse certo contentamento ao servir aquela mulher. Seria uma forma de mostrar para mim o que Madre Teresa quis dizer quando me contou que seu trabalho nas favelas era pura alegria? Guardei essa idéia como um lembrete para ponderar mais tarde, quando estivesse confortavelmente relaxada em casa, cuidando de meu próprio pé. Naquele momento, porém, o melhor a fazer era continuar a cortar as unhas sem cair dura para trás.

> *Não é preciso realizar grandes obras; apenas pequenas obras, com grande amor.*[5]
> MADRE TERESA DE CALCUTÁ

Terminei de cumprir a tarefa e, com certo alívio e satisfação, levantei a cabeça. Horrorizada vi, à minha frente, uma fila interminável de clientes sorridentes que também esperavam ser atendidas a tempo. Olhei meu relógio, mas ainda estava longe o horário de recolher daquelas senhoras. Murmurei baixinho: "Olha, Deus, concordei, sob pressão, em cortar as unhas dos pés de uma única mulher, hoje! Na verdade, tu me enganaste fazendo-me pensar que meu trabalho era o de lavar os pés. Não imaginas realmente que eu, uma *yuppie*, sinto o tipo de amor abnegado necessário para cuidar dos pés de todas essas mulheres com problemas mentais, não é mesmo?".

Minha mente rodopiou com imagens de pés sujos ao meu redor, em vez de sorrisos de gratidão das filhas do Rei a me abençoarem. Por um instante, não entendi como ele seria glorificado com minha obediência. Depois que o pânico passou, percebi que aquela seria uma tarde de disciplina e obediência. Então, orei em silêncio: "Mestre, porque és tu quem está dizendo isso". Certa vez, Simão Pedro disse exatamente essas palavras a Jesus, e o Mestre, sem dúvida, o abençoou.

> Simão respondeu: "Mestre, esforçamo-nos a noite inteira e não pegamos nada. Mas, porque és tu quem está dizendo isto, vou lançar as redes". Quando o fizeram, pegaram tal quantidade de peixes que as redes começaram a rasgar-se (Lucas 5.5,6).

Depois de algum tempo, fiz minha própria oração:

> Senhor, não quero apenas suportar os momentos de ministério que programaste para mim hoje. Quando arranjares compromissos de serviço divino para mim, quero ser tuas mãos e teus pés. Ensina-me a atuar como teu veículo. Ajuda-me a sempre estar disposta a executar a tarefa que puseres diante de mim, seja em casa, na igreja, na comunidade, seja no trabalho no campo. Lembra-me de que viver para ti é servir outros e é assim que devemos viver realmente.

Quanto mais orava, mais sentia Deus ensinando para mim e por mim. Ele fez sentir-me calma o suficiente para atender às necessidades básicas humanas das minhas irmãs em Cristo.

Mas e você? Talvez ninguém lhe peça que lave pés nem corte unhas em um futuro próximo, mas você está pronta para se entregar completamente ao serviço que lhe for atribuído por Deus? Quando meus filhos eram pequenos, ensinei-lhes que obedecer é fazer o que lhes ordenam, de boa vontade e imediatamente.

Cumprimentava-os sempre que cumpriam uma ou duas dessas condições corretamente. Mas, quando cumpriam as três condições da obediência, então era gol de placa!

O mesmo vale para quando servimos ao Senhor. Ele espera que obedeçamos a ele, com alegria, prontamente. Jesus disse: "Vocês serão meus amigos, se fizerem o que eu lhes ordeno".[6] Sei que nem sempre é fácil seguir as instruções dadas por Deus; somos humanos e, às vezes, não nos esforçamos para nos tornar servos fiéis. Mas precisamos nos lembrar de que servir outros é um ato de obediência àquele que pagou por toda nossa desobediência com a morte na cruz.

Guia de viagem para a lavagem dos pés

As sugestões e as atividades descritas a seguir a ajudarão a descobrir oportunidades de obedecer à orientação de Deus no caminho de servir outros. Leve o tempo necessário nesta etapa até que lavar os pés dos outros ou servi-los torne-se parte de sua vida cotidiana. Eu ainda me esforço nesse sentido todos os dias.

Aproveite a oportunidade de se oferecer hoje

Pergunte a Deus o que ele gostaria que você lhe oferecesse hoje (sua energia, seu tempo ou seus recursos). Em seguida, aproveite a primeira oportunidade de serviço que ele colocar em seu caminho. Independentemente de ser lógico ou conveniente, apresente-se e sirva onde quer que Deus decida agir. As freqüentes experiências de humilde serviço, plenas de lições de confiança em Deus, são como um campo de treinamento para o futuro ministério e os planos missionários que ele planejou para você. Diga a Deus que você deseja que ele a use em qualquer momento e lugar e da forma que desejar, e mergulhe nessa aventura!

> *A vida só tem valor quando vivemos para os outros.*
> ALBERT EINSTEIN

Pense a longo prazo

O que Deus a está instruindo a fazer por ele a longo prazo? Ele quer que você reúna a equipe de beneficência da igreja, realize um trabalho de campo ou ajude a começar uma igreja? Se aquilo que Deus lhe revelar for levá-la à comunidade local ou a outra parte do mundo, considere a perspectiva de ministério a longo prazo que afete seu compromisso de serviço para sempre.

Mantenha o equilíbrio; deixe uma margem de segurança

Nesta etapa, esteja atenta à sua "marca de Plimsoll"! Não, a marca de Plimsoll não é nenhum termo teológico sofisticado. Trata-se da marca de limite de carga estabelecida pelo parlamento inglês, soldada em ambos os lados das embarcações comerciais, porque, com freqüência, elas navegavam com excesso de peso e afundavam.

Esteja atenta aos seus limites. Não sobrecarregue sua agenda com compromissos que excedam os limites de uma vida saudável.

A propósito, somente você é capaz de impedir que seu navio de serviços afunde. Esteja certa de que ninguém, nem o congresso, nem a igreja, nem sua família, impedirá você de carregar muito peso. Mas não use o excesso de compromissos que você assume como desculpa para não servir. Descarte tudo o que possa desviá-la de sua rota de serviço.

Faça um teste

Faça um inventário dos dons espirituais para ver se pode identificar seus três principais dons. Depois disso, passe algum tempo investigando e refletindo sobre as possíveis maneiras em que pode aplicá-los. Por exemplo, se seu dom é administração, não seria apropriado servir no comitê de retiro da igreja? Se for compaixão, que oportunidades de visitar doentes e enfermos você teria? Procure pôr em prática o que aprendeu. Na seção "Livros recomendados", você encontrará alguma ajuda nessa parte do processo.

Experimente novos ministérios

Talvez você já saiba que dons Deus lhe deu. Você fez um teste de avaliação dos dons espirituais ou traçou um perfil de sua personalidade, e sabe que Deus lhe deu uma amostra de como deseja que use seus dons, sua personalidade, suas habilidades, sua paixão e suas experiências. Isso é ótimo! Mas não abandone sua jornada de descoberta ainda. Você nunca saberá onde Deus deseja que sirva, se não experimentar diversas oportunidades.

Quando minha filha aprendeu a andar, foi direto para o meu guarda-roupa experimentar meus sapatos. Durante anos, ela passeou pela casa com sapatos trocados. De manhã, aparecia com um sapato de salto alto em um pé e tênis no outro. À tarde, calçava um chinelo e uma sandália. É cômico quando a criança experimenta sapatos, mas a idéia de experimentar vários dons para ver qual é aquele com que Deus a abençoou pode ser muito útil para os adultos.

Portanto, vasculhe o "guarda-ministérios" de Deus. Vá em frente e experimente alguns! Passeie neles. Não se recrimine por causa de uma queda. É preciso praticar para vencer a ansiedade e a incerteza, desenvolvendo novas habilidades e adquirindo conhecimento. Com o tempo, você aprenderá a reconhecer quais ministérios combinam perfeitamente com você.

LIVROS RECOMENDADOS SOBRE ESPERANÇA EM MEIO AO SOFRIMENTO

Discovering Your Spiritual Gifts: A Personal Inventory Method [Descobrindo seus dons espirituais: um método de inventário pessoal], de Kenneth Kinghorn[7]

CLASSE 301: Comprometidos com o ministério[8]

Está na hora de servir em nome de Jesus

Está pronta para dar esse passo na direção de Deus e do propósito que ele determinou para sua vida: *lavar os pés uns dos outros?* Deus a chama para servi-lo. Você deixou de lado suas preferências pessoais e colocou-se à sua disposição, para atuar onde quer que ele esteja agindo de forma poderosa? Está aproveitando as oportunidades que surgem para se dedicar aos outros?

Quer se sinta confortável em um ministério quer não, pense em como Deus poderia usá-la numa difícil atribuição temporária, em sua cidade ou fora dela. Empenhe-se no que ele lhe mostrar. E, nos momentos de extrema obediência, faça o que minha mentora, Ina, sugeriu: "Ajoelhe-se aos pés da cruz e ore pedindo força e alegria".

Nada no mundo se compara à alegria de ser usada por Deus, de ser um instrumento em suas mãos. Assim, adquirimos uma consciência maior de quem ele é e do seu propósito para nossa vida. Quando servimos fielmente, Deus nos confia uma visão maior da vida e convida a participar de seu grande plano.

Nossa tarefa nesta etapa é simples: falar menos e servir mais. Que você possa orar de coração:

> Ó, Deus, ajude-me a aprender a lavar os pés dos outros com alegria e disposição ou a servi-los satisfatoriamente da forma que solicitarem. Quero permanecer em cada ministério apenas pelo tempo que desejares. No momento que considerares oportuno e a teu critério, leva-me a buscar outras formas inovadoras de te servir.

Se você deseja tornar-se uma mulher a serviço de Deus, não perca tempo. Aperte o passo.

A SABEDORIA DE DEUS PARA A CAMINHADA

O EXEMPLO DE VIDA DE DORCAS: LAVAR OS PÉS UNS DOS OUTROS

Para aprender a lição de Dorcas, uma serva amada por seus amigos, leia Atos 9.36-42. As pessoas encheram um quarto para prantear a perda de Dorcas quando ela morreu. Ela era o tipo de mulher que causava grande impacto na comunidade com seu dom de ajudar.

Que legado de serviço abnegado você deixará? Você irá para onde Deus a enviar hoje? Nesse caso, diga isso em oração. Se desejar, use a oração a seguir:

Senhor, sei que o serviço é uma aptidão, uma atitude e o desejo do meu coração. Quando permito que livres meu coração do orgulho egoísta, abro caminho para ti. Embora sejas rico, abriste mão de tudo alegremente por amor a mim, tornando-te um servo humilde. Ajuda-me a ser mais parecida contigo.

QUESTÕES PESSOAIS DA CAMINHADA

1. Como você normalmente se entrega ao plano de Deus para servir a cada dia?

2. O que a impede de praticar o serviço? Que soluções lhe vêm à mente para resolver esse problema?

3. Cite todas as atribuições de sua igreja, comunidade e missão mundial, das quais você participou até hoje. Assinale os compromissos de serviço **mais** apreciados com a sigla "MA" e os **pouco** apreciados com "PA".

4. Sobre qual ministério você gostaria de pesquisar? Por quê?

5. O que você poderia fazer hoje para possibilitar o serviço (por exemplo, fazer uma ligação telefônica, realizar uma pesquisa sobre determinado assunto, encontrar-se com uma líder ministerial, fazer um curso, começar a servir)?

Notas

[1] V. João 13.14-17.
[2] Mateus 26.39.
[3] Mateus 20.28.
[4] BLACKABY, Henry & KING, Claude. *Experiencing God*. Nashville: Broadman and Holman, 1994, p. 44. Copyright by Broadman and Holman Publishers. Todos os direitos reservados. [**Conhecendo Deus e fazendo sua vontade, LifeWay Brasil, 2001**].
[5] SPINK, Kathryn. *Life in the Spirit: Reflections, Meditations, Prayers*. San Francisco: Harper and Row, 1983, p. 45.
[6] João 15.14.
[7] KINGHORN, Kenneth. *Discovering Your Spiritual Gifts: A Personal Inventory Method*. Grand Rapids: Zondervan, 1984.
[8] No Brasil, visite o *site* <http://www.propositos.com.br>.

Capítulo **8**

Caminhe com integridade

*A integridade dos justos os guia, mas a
falsidade dos infiéis os destrói*
(Provérbios 11.3).

Perigo à frente! A próxima pedra da travessia no rio é traiçoeira. Na superfície, ela é grande e plana, mas, por baixo, é irregular e mal assentada no leito do rio. Você deve prestar muita atenção ao atravessá-la porque ela é conhecida como "cavalinho de balanço" e é famosa por derrubar os peregrinos na água. Precisará de oração, equilíbrio e concentração para não tropeçar nela: *caminhar com integridade, e não com falsidade.*

Antes de darmos um passo em falso, é melhor fazer uma pausa e examinar esta etapa mais atentamente. Nossa integridade determina se participamos parcial ou totalmente dos melhores propósitos de Deus para nossa vida. O viver autêntico com verdadeira integridade une nosso coração ao coração de Deus. Vejamos, portanto, o que integridade e falsidade realmente significam.

Integridade *versus* falsidade

Podemos definir integridade como a coerência entre nossa mente e nossas ações ou a concordância de nossos pensamentos com nossos atos. A mulher íntegra diz o que pensa, sente o que demonstra e faz o que promete. Mantém as promessas que faz. Suas motivações são puras. Ela é honesta, correta e sincera. É *verdadeira* em suas relações.

Falsidade, ao contrário, é a trapaça deliberada, é desonestidade e hipocrisia, a inimiga da integridade. A mulher falsa, assim como um jogador de pôquer experiente, tem a capacidade de transmitir mensagens por meio de palavras ou ações opostas aos seus pensamentos ou a suas ações planejadas. Seus verdadeiros sentimentos e pensamentos deixariam-na surpresa.

As diferenças entre integridade e falsidade parecem bem claras, não? Mas essa é a parte traiçoeira desta etapa. À superfície, a mulher íntegra e a mulher falsa parecem iguais. As diferenças são visíveis apenas quando se examina melhor o que existe por trás das aparências. A verdade só é vista quando se avaliam as motivações por trás de suas ações.

> *Na pessoa íntegra, não há hipocrisia. Ela é confiável, financeiramente responsável e particularmente limpa [...] livre de motivações impuras.*
> CHARLES SWINDOLL[1]

Permita-me dar um exemplo. Suponhamos que Jonie seja uma especialista em falsidade. Ela não quer parecer muito agressiva nem muito autoconfiante, mas nunca subestima sua determinação em conseguir o que deseja. Jonie não quer ter nenhum tipo de relacionamento com os colegas de trabalho do marido. Então, imagine sua reação quando o grupo decide sair para jantar e jogar boliche, e seu marido deseja realmente que ela vá. Jonie finge que pretende ir, mas tem todos os trunfos na mão, porque "tentou e tentou", porém não conseguiu encontrar uma babá confiável, o que lhe dá uma boa desculpa no último minuto. Ela não apenas consegue fazer sua vontade, mas também aparenta ser uma mãe dedicada ao agir dessa forma. É a falsidade em pessoa!

ENTÃO, QUAL É O PROBLEMA?

No caso de Jonie, o marido pode ter se decepcionado e se sentido deslocado, mas a falsidade dela não causou nenhum grande mal. Todos ficaram satisfeitos, até mesmo Jonie! Certamente, os colegas do marido entenderam que ela não poderia deixar os filhos sozinhos em casa. Às vezes, essas coisas acontecem. Eles pensam que poderão ver Jonie em uma próxima ocasião, mas ela é uma mulher dissimulada. Nós já sabemos que ela encontrará outra desculpa para não acompanhar o marido da próxima vez.

Então, qual é o problema? É simples: Deus abomina a falsidade. Ele não quer que Jonie, nem nós, passemos os dias enganando os outros. A questão não é se as pessoas notarão que as enganamos ou se serão prejudicadas com isso. A realidade é que Deus deseja que caminhemos na integridade, e não na falsidade. Ele quer que nossas ações sejam honestas e nossas motivações, puras.

Deus é onisciente e onipresente. Nenhuma máscara ou falsa motivação lhe passará despercebida. Ele odeia quando nossa motivação secreta é, por exemplo, manipular a situação, controlar uma opinião, obter vingança, incitar confusão, causar constrangimento para alguém ou usar de ostentação. Tudo isso pode destruir nosso relacionamento com ele e com os outros. Deus sabe que a vida sem integridade produz fraude, inveja, calúnia, intriga, maldade, adulação, deslealdade e perversidade, coisas que, segundo a Bíblia, fatalmente nos corroem e destroem nossos relacionamentos. A falsidade e suas companheiras não fazem parte dos propósitos de Deus para quem o ama e o serve.

> O SENHOR *não vê como* [a mulher]: [a mulher] *vê a aparência, mas o* SENHOR *vê o coração*
> (1SAMUEL 16.7).

Se você tiver alguma dúvida sobre como Deus vê a integridade e a falsidade, leia as duras palavras de Jesus aos cidadãos mais respeitados da sua comunidade:

> Ai de vocês, mestres da lei e fariseus, hipócritas! Vocês são como sepulcros caiados: bonitos por fora, mas por dentro estão cheios de ossos e de todo tipo de imundície.

Assim são vocês: por fora parecem justos ao povo, mas por dentro estão cheios de hipocrisia e maldade.²

Você não treme de medo ao ouvir Jesus falar dessa maneira? Eu tremo. Não sei quanto a você, mas sou feliz por não ter vivido nos tempos do Novo Testamento, quando Jesus poderia expor publicamente minhas motivações impuras. Sou grata por ele mostrar, em particular, as verdadeiras motivações que tenho para mim. Aceito de bom grado sua orientação e disposição em me ajudar a viver com integridade. Não quero dar um passo em falso e sair do curso na caminhada com propósitos, definida por Deus para minha vida. Devemos ser gratas por ele nos ajudar a ser honestas e autênticas e nos confiar uma missão desafiadora.

Mas, por mais que desejemos caminhar com integridade e motivações puras na busca dessa missão, na prática, de fato, podemos nos comportar de forma bastante diferente. É incrível a rapidez com que as motivações impuras sorrateiramente se infiltram e frustram até nossas melhores intenções. Por isso é melhor examinarmos com mais atenção e cuidado outros aspectos de nossas motivações e entender como elas afetam o cumprimento do nosso propósito de vida.

DEUS ENXERGA NOSSAS MOTIVAÇÕES INTERESSEIRAS

Deus é especialista em identificar motivações aparentemente inocentes, porém interesseiras, que são as nossas desculpas esfarrapadas para o orgulho, a indolência, a hostilidade, a desobediência, a imoralidade, o egoísmo e a antiética.

Suponhamos que uma mulher faça uma doação em dinheiro para uma causa nobre, não porque deseja sinceramente ajudar os outros, mas porque quer ganhar reconhecimento. Ou suponhamos que, para conseguir o que almeja, ela implore: "Deus, por favor, suplico que me digas qual é o grande propósito da minha vida; prometo que me esforçarei para cumpri-lo". Mas Deus sabe que, assim que satisfizer sua curiosidade e a empolgação acabar, ela não cumprirá a palavra de se esforçar para completar a missão que ele lhe atribuiu antes mesmo de seu nascimento. Sua verdadeira motivação é egoísta: sentir a emoção de descobrir o plano divino, sem ter de aceitar a responsabilidade que ele impõe.

As motivações impuras e interesseiras desagradam a Deus e maculam nosso dom de servir a família, a igreja e a comunidade. No que se refere a essas motivações, Deus expressa seu desprezer de forma excelente (aqui, pelas palavras do profeta Ageu):

> Vocês, o povo, [...] estavam contaminando seus sacrifícios com sua vida cheia de egoísmo e maldade. E não contaminavam só os sacrifícios, mas tudo que vocês faziam como "serviço" para mim.
>
> Por isso, tudo que vocês faziam dava errado.[3]

Você não acha que essa declaração é forte o bastante para cuidarmos melhor das nossas motivações? Penso que sim! Mas sabe de uma coisa? Ainda assim, às vezes, agimos por razões impuras. E, nesse caso, devemos nos sentir extremamente gratas pela graça de Deus, porque ele quase sempre nos perdoa e nos usa apesar de nossas falhas.

DEUS PODE USAR AS MOTIVAÇÕES IMPURAS

Talvez você fique chocada em saber, mas Deus *pode* usar motivações impuras. Isso mesmo! Ele tem usado as minhas e as de minha filha, e pode decidir usar as suas também. Por exemplo, anos atrás, minha filha, Stephanie, concordou, relutantemente, em cantar em uma entidade de assistência à terceira idade, apenas porque insisti. Não me lembro se usei a técnica da mãe-mártir — "você me deve isso" —, ou se removi todos os empecilhos com o clássico argumento "não tem querer; sou sua mãe e estou mandando". Independentemente da tática de persuasão maternal que empreguei, incuti tanta culpa em seu coração que ela concordou em cantar.

Apesar de minha motivação ser a autoridade e a de Stephanie ser a complacência, Deus usou essa experiência de forma pungente, revelando para ela seu desejo verdadeiro de usar a voz para servir outros. Ele lhe deu uma amostra do que é pôr o amor em ação e ser transformada pelo ministério.

DEUS NÃO ESTÁ INTERESSADO NO MINISTÉRIO MOTIVADO PELA CULPA

A culpa é um erro motivacional comum que derruba muitas mulheres, sem que elas entendam realmente por quê. Quantas vezes, por exemplo, você serviu com um sorriso falso por causa das terríveis palavras *devo* ou *espera-se que*? Se você usar essas palavras ao tomar uma decisão, é sinal de que precisa parar para examinar suas motivações.

Devo admitir que, durante muitos anos, minha motivação para o serviço era a culpa. Fazia de tudo para cumprir o programa e as expectativas que as pessoas tinham para mim. Preocupava-me com o que elas diriam sobre mim se não fizesse o que esperavam. Acreditava que era mais fácil realizar determinada tarefa, mesmo que não quisesse, do que passar horas me sentindo culpada por não a ter realizado.

Um dia, deparei inesperadamente com minha verdadeira motivação. Durante uma reunião de oração, na hora do almoço no trabalho, disse casualmente a um colega: "Nick, sei que *deveria* ministrar aulas na segunda série da escola dominical novamente este ano, mas, para ser sincera, não gostaria de fazer isso". Pensei um momento e, depois, continuei: "Ah, não importa. Não ligue para o que eu disse. Sei que a igreja precisa de mim; farei isso. Não custa nada".

A amável admoestação de Nick ficará gravada em minha mente para sempre: "Por favor, não faça nenhum favor à igreja.

Não estamos desesperados. Queremos que as pessoas sirvam esses ávidos alunos por amor a Jesus, e não pelo sentimento de culpa. As crianças precisam de alguém que lhes responda às infinitas perguntas, limpe o nariz, amarre os sapatos e goste muito de estar com elas além de lhes ensinar que Jesus morreu para salvá-las".

Talvez já estivesse ocupada demais com meus filhos ou cansada de limpar nariz de criança e, por isso, realizasse o ministério da igreja motivada pela culpa. Qualquer que fosse o motivo, sabia que meu colega estava certo. Não estava servindo da forma que agradasse a Deus (e a mim mesma). Deus queria que o servisse com integridade e motivações puras, e não por culpa! Quando me dei conta disso, comecei imediatamente a mudar minha forma de tratar os ministérios que Deus colocava diante de mim. Eliminei a expressão "tenho de" do meu vocabulário. Embora, ocasionalmente, ainda sinta os efeitos negativos de ter servido por causa da culpa durante tantos anos, estou começando a entender que Deus se importa muito com nossas atitudes e motivações. Sou uma prova viva de que a batalha contra as motivações impuras é tão difícil quanto a Batalha do Bolsão.*

Espero não ter inadvertidamente causado confusão alguma para você. No capítulo 7, expliquei o conceito de servir a Deus em qualquer lugar e momento em que ele a chamar, mas, por favor, entenda a grande diferença. Sem dúvida, você deve experimentar diversas áreas de ministério, até mesmo aquelas das quais não goste a princípio. Mas, se não puder servir com o amor de Jesus, e o Senhor souber que você se esforçou para isso, peço para que pare antes que alguém saia prejudicado. Pode estar na hora de você prosseguir e deixar a culpa para trás. O ministério motivado pela

---

*A Batalha de Ardenas, a derradeira contra-ofensiva de Hitler na Segunda Guerra Mundial [N. da T.].

culpa não é pleno. Ele pode prejudicar seu testemunho do evangelho em detrimento do serviço que você presta.

DEUS NOS CHAMA PARA UMA OBRIGAÇÃO
MAIS DO QUE HUMANA

Durante anos, em quintas-feiras alternadas, meu filho recitava: "Cumprir meus deveres com Deus e meu país, obedecer aos preceitos dos escoteiros". Era parte do juramento dos escoteiros nas reuniões de tropa. Ouvi essa frase durante anos e fiquei curiosa para saber por que as pessoas se apresentavam como voluntárias para servir. Queria saber se elas eram motivadas pelo dever, pela obrigação, pela responsabilidade ou por outra razão.

Minha curiosidade também estava me irritando porque conhecia cada vez mais pessoas não-cristãs que se dispunham a servir. Algumas se sentiam motivadas a servir porque julgavam ser o correto; outras porque temiam afetar sua evolução espiritual caso não o fizessem; outras, ainda, simplesmente porque se sentiam bem com isso. Então decidi entrevistar o dr. Roger Sperry, Prêmio Nobel de Medicina e Fisiologia, autor da teoria sobre os hemisférios direito e esquerdo do cérebro. Como era um humanista renomado, queria conhecer sua explicação científica para a questão do serviço. Esperava que ele pudesse me ajudar a esclarecer a confusão sobre a motivação para o serviço humano voluntário.

A conversa com o dr. Sperry foi meu primeiro contato, íntimo e pessoal, com alguns princípios do humanismo secular. Ele estava profundamente preocupado com o fato de que nosso planeta está à beira de um colapso total. Ele considera que a Terra está tornando-se inabitável com o acúmulo de lixo nuclear, a explosão populacional, a erosão do solo e a destruição das florestas tropicais e da camada de ozônio. Ele disse que nossa preocupação com o que acontece aos outros seres humanos e a tentativa de suprir suas necessidades devem-se calcar em um sistema de valores de base científica que adote o serviço como resposta para a sobrevivência, o controle e a continuidade. Em outras palavras, devemos ajudar os outros a fim de promover a sobrevivência das espécies e do planeta.[4]

Como cristã em processo de amadurecimento, tive de filtrar o que ele me disse. Sabia que muitos organismos no mundo ajudam outros de suas espécies. A abelha, por exemplo, trabalha incansavelmente para garantir a sobrevivência da colméia. O peixe-espinho macho fica sem se alimentar, quase a ponto de morrer de inanição, para proteger a toca e seus ocupantes que serão a futura geração. Mas... e os seres humanos? Supostamente, não deveriam se doar muito mais do que as outras espécies? E os cristãos? Jesus não nos mostrou, com um exemplo específico, a razão para amarmos, quando pregou: "Como eu os amei, vocês devem amar-se uns aos outros"?[5]

Ao ouvir o Dr. Sperry expor os motivos "científicos" para o serviço, tomei ciência do fato de que minhas motivações, não raro, eram as de cumprir obrigações e desempenhar responsabilidades, em vez de realmente mostrar meu amor aos outros. Estava começando a ver que, por vezes, servia de acordo com a mentalidade e a motivação humanista, embora professasse minha crença em Deus, em Jesus e no Espírito Santo. Tudo isso me serviu de alerta e me fez examinar minhas motivações para o serviço.

AS MOTIVAÇÕES SOB A LENTE DE AUMENTO

É muito fácil parar de caminhar na integridade! Às vezes, a falsidade é intencional: sabemos disso e não nos importamos. A mulher que busca os propósitos de Deus, porém, em geral, deixa de caminhar na integridade porque não examina com sinceridade seu interior à procura de sinais de falsidade. Ela está tranqüila, pois não tem noção de suas motivações impuras.

Costumo imaginar que Deus está buscando no mundo mulheres de integridade que cumpram o propósito de sua vida. Como se usasse uma lente de aumento, ele nota todos os nossos disfarces hipócritas. Ele enxerga o que há por trás de nossos engenhosos truques e planejou para nós uma vida muito mais honrada e plena do que a geralmente encontrada.

Como já disse, Deus pode usar a pior das pecadoras, a mais falsa delas, para realizar sua obra, mas anseia ardentemente trabalhar com mulheres que reflitam a pureza de seu coração. Ele deseja unir seu propósito ao delas para a verdade.

AUTO-EXAME PARA CAMINHAR COM INTEGRIDADE

Como podemos nos transformar em mulheres íntegras? Acima de tudo, é necessário que estejamos dispostas a inspecionar atentamente as motivações por trás de nossas ações. Nossa motivação é, por exemplo, impressionar alguém, ganhar simpatia, evitar constrangimento ou tornar as pessoas semelhantes a nós? Precisamos aprender a examinar nossas motivações em tudo o que fazemos, desde servir de mentora e trabalhar no comitê até ser voluntária como professora e visitar um vizinho solitário. Para testar nossas motivações, basta fazer regularmente uma simples pergunta: "Por que estou fazendo isto?".

> *Todos os caminhos* [da mulher] *lhe parecem puros, mas o SENHOR avalia o espírito*
> (PROVÉRBIOS 16.2).

Esse processo pode revelar questões profundas ainda não resolvidas sobre nossa integridade, como: qual é a minha verdadeira motivação para querer que Deus revele o propósito único da minha vida? Para poder gabar-me depois? Será que o motivo verdadeiro da oração que fiz pelo vizinho era a intriga? Usei a bajulação para conseguir o que queria, hoje? Comprei aquele presente de aniversário caro para meu filho porque me sentia culpada por não ficar mais tempo em casa?

"Espere aí. Não sou tão má assim!", você deve estar protestando. Concordo, mas todas nós estamos sujeitas a ter essas motivações equivocadas que nos deixam desnorteadas.

Ao fazer essas perguntas, que de fato são terríveis às vezes, aprendemos a ser honestas com nós mesmas. Quando começamos a inspecionar profundamente nosso coração, nos tornamos mulheres de caráter. Quando encontramos áreas de falsidade e fazemos o necessário para alcançar a integridade, aprofundamos nosso relacionamento com Deus. E essa é a melhor maneira de retomar nossa caminhada com propósitos.

Obviamente, há momentos em que *não* precisamos nos questionar sobre nossas motivações, quando simplesmente fazemos o que é preciso. Para mim, tarefas como limpar o banheiro, passar roupa, trocar a areia da caixa do gato, capinar o jardim ou levar o lixo para fora de casa estão nessa categoria. Quando é a nossa vez de cumprir esse tipo de responsabilidade, podemos decidir cumpri-la de bom grado ou com má vontade, mas, nesse caso, não precisamos passar muito tempo ponderando sobre nossas motivações!

O IMPACTO DA INTEGRIDADE

Quando estabelecemos o propósito de aprender a viver com integridade e com motivações puras, não apenas mudamos nossa maneira de pensar, mas também passamos a agir, falar, orar e servir de forma diferente. A mulher de integridade pode olhar para si mesma ao espelho e dizer: "Sou o que digo que sou". Ela pode erguer a cabeça e olhar as pessoas de frente. Ela não fica à espreita no escuro, pronta para dar o bote e tirar vantagem de alguém, para proteger seu território ou para manipular vidas. Que alívio, que liberdade! Nada de se esconder, fingir ou culpar. Nada de se deixar consumir pela pressão exaustiva do segredo, das motivações escusas, do preconceito vão, da ambição egoísta e da vergonha. Só essa paz de espírito já compensa todo o esforço!

Ao caminhar na integridade, você deve servir de modelo para seus filhos, amigos, vizinhos e outros que precisem desesperadamente de exemplos de autenticidade e honestidade. A mentira, o logro e a hipocrisia acabarão com sua vida de paz e tranqüilidade. Você explicará a seu filho adolescente por que ele não deve tirar vantagem de seu amigo. Terá o privilégio de aconselhar uma amiga que se vê tentada a aplicar um golpe para enriquecer rápido. Será a luz para algumas pessoas da sua ocupada equipe de ministério que se esqueceram de que Jesus é a razão de servir.

UM NOVO EXAME SOBRE AS MOTIVAÇÕES DA VISITA A CALCUTÁ

Recentemente, em meu esforço para caminhar na integridade com o Senhor, decidi examinar minhas mais profundas motivações para ter ido a Calcutá para servir. Sabia que chegara até lá porque me sentia triste, confusa, solitária, cansada e queria encontrar algumas respostas para minhas dúvidas. Tudo isso era verdade, mas não a verdade toda.

Registrei outras verdades no meu diário espiritual de então. Escrevi que precisava de paixão, drama e emoção na minha vida. Fui, em parte, para impressionar as pessoas e ganhar atenção e reconhecimento quando retornasse para casa. Perdera várias funções que preenchiam minha vida e, para ser franca, sentia falta da emoção e da adrenalina do meu antigo emprego. Também escrevi que fiz essa viagem motivada pela curiosidade de uma repórter, investigadora, observadora, embora estivesse convencida de que era uma missionária abnegada.

> Sirva-o de todo o coração e espontaneamente, pois o SENHOR sonda todos os corações e conhece a motivação dos pensamentos (1 CRÔNICAS 28.9).

Ao esclarecer minhas motivações após a ocorrência do fato, entendi por que não consegui realizar todo o trabalho que tinha para fazer lá. Minhas motivações não me tornaram um fracasso total como cristã que pensei que fosse quando voltei, mas causaram muito estresse tanto para mim quanto para os outros. Aprendi, desde então, que é extremamente importante conhecer minhas motivações antes de servir.

GUIA DE VIAGEM PARA CAMINHAR COM INTEGRIDADE

As sugestões descritas a seguir irão ajudá-la a avaliar sua integridade e discriminar suas motivações a fim de descobrir e cumprir os propósitos de Deus. Leve o tempo necessário para concluir cada etapa.

Peça que Deus lhe dê um exemplo específico

Peça que Deus lhe mostre uma situação específica na qual você foi irresoluta como Judas, que usou um beijo para trair Jesus, ou como os fariseus, que eram hipócritas. Ele a ajudaria a se lembrar de uma ocasião em que você usou a voz mais doce possível ao telefone para tentar parecer simpática, mas estava furiosa por dentro? Ele a ajudaria a recordar da vez em que se ofereceu para orar por alguém para impressionar os outros com sua santidade? Aperte o cinto neste exercício, pois há muitas curvas no caminho.

Depois, assim como você fez com outros pecados, confesse-o ao Senhor e arrependa-se. Confessar motivações impuras a Deus pode ser humilhante se você ignorar sua graça, mas ela estará sempre à sua disposição. Se sua vida parece estar em pedaços por causa de mentiras e de falsidade, saiba que Deus se regozijará quando você se dispuser a lhe contar a respeito disso. Deixe que ele a transforme. Permita que ele lhe dê uma de suas maiores dádivas: torná-la íntegra novamente.

Peça a uma amiga para avaliar você

Depois de pedir perdão, o arrependimento requer que você estabeleça alguns limites para si mesma nessa área. Procure uma pessoa confiável e ponderada com quem você se sinta à vontade para se abrir e que esteja disposta a discutir esse e outros assuntos relacionados ao seu crescimento espiritual. Marque pelo menos uma conversa intensa e aberta sobre integridade, autenticidade e falsidade. Discuta em minúcias algumas motivações que a afligem. Seja realista em relação aos seus planos de oferecer suas fraquezas a Deus. Peça-lhe para eliminar cada gota de falsidade da vida de vocês.

Apresente suas motivações impuras a Deus

A maioria de minhas motivações poderia ter sido favorecida com uma simples regra típica das brincadeiras de criança: uma segunda chance. Felizmente, Deus nos dá uma segunda chance. Se você for apegada a uma motivação negativa, como piedade, lucro ou recompensa, apresente-a diante de Deus para que ele possa purificá-la. Com isso, você estará mais preparada para continuar sua caminhada com propósitos e terá menos possibilidades de realizá-los por motivos errados.

Permita-me fazer-lhe algumas perguntas pessoais a esse respeito. Qual é a sua motivação para desejar que Deus lhe dê um propósito de vida importante? É para melhorar sua reputação, sentir-se bem sobre o que você é capaz de fazer, diminuir sua solidão ou satisfazer sua curiosidade? Como suas motivações se comparam com as motivações de Deus para lhe atribuir um propósito de vida único? Ele não o faz porque a ama, confia em você e deseja que se torne semelhante a Jesus? Ele não espera o mesmo em troca — que você o ame, confie nele e deseje ser como Jesus? Reserve algum tempo na programação desta semana para expor diante de Deus uma de suas motivações impuras relacionadas a propósito, ministério ou missão de vida.

> **LIVROS RECOMENDADOS SOBRE MOTIVAÇÃO E INTEGRIDADE**
>
> A *Life of Integrity: 12 Outstanding Leaders, Raise the Standard for Today's Christian Men* [Uma vida de integridade: 12 líderes notáveis estabelecem o padrão para os cristãos da atualidade], de Howard Hendricks[6]
> *The Real Deal Workbook* [O livro da verdade], de Dan Webster[7]

ESTÁ NA HORA DE PRATICAR A INTEGRIDADE

Você está pronta para dar esse passo na direção de Deus e do propósito que ele criou para sua vida: *caminhar com integridade, e não com falsidade*? Não há dúvida de que viver com integridade e autenticidade exige um grande esforço. Mas não podemos sequer imaginar o quanto Deus deseja que esse passo seja dado. Ele deseja agir por meio de mulheres cuja vida seja constantemente autoavaliada.

Se ninguém nunca a instruiu sobre integridade e motivação, é fácil entender por que você nunca tratou disso. Portanto, se Deus ainda não lhe entregou uma atribuição ousada e interessante, seria uma boa idéia examinar essa área de sua vida. Mas, por favor, não se preocupe. Pode haver vários outros motivos para sua missão estar paralisada. A demora em receber a visão de Deus também pode dever-se à sua necessidade de habilidades e preparo em relacionamento, ao momento oportuno de Deus agir em sua vida ou ao preparo que ele está procedendo no coração das pessoas que enviará para serem abençoadas com o seu serviço.

Você está pronta para ser uma mulher santa e íntegra? Está ansiosa para examinar o lado bom e o lado mau de seus pensamentos e suas ações? Comece hoje a orar pedindo para caminhar com mais integridade. Comece hoje a examinar mais atentamente suas motivações. Não termine o dia sem admitir diante de Deus a existência de uma motivação impura. Não deite a cabeça no travesseiro sem assumir o compromisso de mudar o que você sabe que precisa ser mudado. Tenho a impressão de que, se fizer isso, respirará aliviada ao adormecer.

A SABEDORIA DE DEUS PARA A CAMINHADA

O EXEMPLO DE VIDA DE MIRIAM: CAMINHAR COM INTEGRIDADE, E NÃO COM FALSIDADE

Para aprender a lição sobre o que aconteceu com Miriam, irmã de Moisés, quando tinha motivações impróprias, leia Números 12. Miriam estava com ciúme da influência e do poder de Moisés, e Deus sabia disso. Em vez de ser humilde e honesta com Deus sobre sua inveja, seu orgulho ferido levou-a a criticar a esposa de Moisés. Suas motivações: censurar Moisés e tentar sentir-se melhor a respeito de si mesma, fazendo as pessoas pensarem menos nele. Deus tratou com severidade sua atitude ciumenta e egocêntrica de desonrar o mensageiro escolhido por ele.

Pense em uma das motivações secretas e impuras que você sente. Se não conseguir lembrar-se de nenhuma, Salmos 139.23,24 é uma boa oração para pedir que Deus a avalie: "Sonda-me, ó Deus, e conhece o meu coração; prova-me, e conhece as minhas inquietações. Vê se em minha conduta algo te ofende, e dirige-me pelo caminho eterno".

QUESTÕES PESSOAIS DA CAMINHADA

1. Tente se lembrar de uma ocasião na qual a falta de integridade a levou a enganar, invejar, caluniar, criar intrigas, prejudicar alguém com malícia, bajular, ser desleal, ser secretamente perversa, ser falsa, ser presunçosa, ter ambições egoístas ou cometer outro pecado. Fale com Deus sobre como você se sente agora sobre a situação. Peça que ele a perdoe, se ainda não o fez.

2. Oswald Chambers lembra-nos de examinar nossas motivações para o ministério. Ele pergunta se servimos com gratidão por Cristo ter morrido para nos salvar:

Você já se entregou à exaustão em virtude de como tem servido a Deus? Nesse caso, renove-se e reacenda a chama de seus desejos e suas paixões. Avalie o que a tem motivado a servir. Isso se fundamenta em seu próprio conhecimento ou na redenção de Jesus Cristo?[8]

E você? Qual é o principal motivo para servir? Reflita profundamente sobre isso. Pense sobre a compaixão e a humildade com que Jesus servia, mas, acima de tudo, medite sobre o sacrifício de amor e abnegação na cruz.

3. Para começar a ter uma vida realmente mais íntegra, aproveite esta oportunidade para questionar o que tem motivado suas ações rotineiras — como dar um presente, fazer um pedido de oração, ir a uma reunião social, oferecer-se para ajudar alguém, defender uma causa, fazer uma palestra, ser voluntária no escritório da igreja ou fazer uma grande aquisição. Em seu diário ou bloco de notas, crie um gráfico simples, como o seguinte:

Minhas motivações puras	Minhas motivações impuras

4. O que você pensa sobre suas listas na questão anterior? Confesse todo tipo de falsidade e ore para que Deus infunda em seu coração o amor pela integridade.

NOTAS

[1] SWINDOLL, Charles. *Rise and Shine: A Wake-Up Call*. Portland, Ore.: Multnomah, 1989, p. 190.

[2] Mateus 23.27,28.

[3] Ageu 2.14,15, BV.

[4] Entrevista pessoal com o dr. Sperry no California Institute of Technology, Pasadena, Califórnia, em 19 de outubro de 1987. Roger Sperry era professor emérito de psicobiologia e pioneiro veterano em pesquisas sobre o cérebro. Suas descobertas sobre os dois hemisférios cerebrais e suas respectivas funções renderam-lhe um prêmio Nobel em Medicina e Fisiologia em 1981. Seu livro *Science and Moral Priority: Merging Mind, Brain, and Human Values* [*Ciência e prioridade moral: uma fusão da mente, do cérebro e dos valores sociais*, **Zahar Editores, 1986**] foi publicado em 1983. Ele faleceu em 1994.

[5] João 13.34.

[6] HENDRICKS, Howard. *A Life of Integrity: 12 Outstanding Leaders, Raise the Standard for Today's Christian Men*. Sisters, Ore.: Multnomah, 2003.

[7] WEBSTER, Dan. *The Real Deal Workbook*. Publicado pela Authentic Leadership, Inc. Visite www.authenticleadership.com.

[8] Tradução livre de trecho do livro *My Utmost for His Highest*, de Oswald Chambers, editado por James Reimann, copyright © 1992, Oswald Chambers Publications Assn., Ltd. Copyright da edição original © 1935, Dodd Mead & Co., renovado em 1963 pela Oswald Chambers Publications Assn., Ltd., e usado sob licença da Discovery House Publishers. Todos os direitos reservados. [*Tudo para Ele*, **Betânia, 1988**].

Parte IV

Corra para Jesus

O propósito divino da *adoração* para você:
exaltá-lo com sua vida

Capítulo **9**

ESPERE QUE DEUS ATENDA AOS DESEJOS DE SEU CORAÇÃO

> *Deleite-se no Senhor, e ele atenderá aos desejos do seu coração*
> (Salmos 37.4).

Para muitas mulheres, esta etapa parecerá um grande alívio. Você poderá flagrar-se cantando ou louvando a Deus quando pisar nesta pedra: *esperar que Deus atenda aos desejos de seu coração*. No entanto, pode começar a sentir uma inquietação crescente que não consegue compreender. Tenho algumas idéias a respeito do que pode estar acontecendo. Façamos, portanto, uma pausa para descobrir a origem dessa alteração emocional antes de continuarmos a caminhada com propósitos.

Esta etapa pode revelar alguns sentimentos extremamente conflitantes em sua vida. De um lado, você sente vontade de mergulhar nesta etapa e ver as coisas maravilhosas que Deus lhe reservou?; de outro, no entanto, tem medo de acabar decepcionada? Pode sentir uma onda de agitação diante da perspectiva de ter os desejos de seu coração atendidos, mas, depois, pondera e conclui: "Provavelmente, Deus não me dará o que realmente desejo".

Você pode pensar: "Talvez esta etapa não seja de fato algo de Deus. E se for uma armadilha de Satanás para me persuadir a desejar recompensas mundanas? Em todo caso, passarei por esta etapa o mais rápido e superficialmente possível, como se fosse ferro quente, para não me queimar".

Pode ser que tenha outras preocupações. Se for honesta com você mesma, talvez tenha de admitir que seus mais profundos desejos relacionam-se mais com sua própria felicidade e segurança do que com os propósitos de Deus e sua santidade. Ou você pode sentir que não merece receber grandes recompensas na vida.

SUA PAIXÃO É UMA COISA BOA

Posso assegurar-lhe que essa pedra *não* é uma armadilha e que é realmente tão segura quanto parece. Em Salmos 37.4, Davi descreve precisamente a natureza favorável desta etapa. Gosto de explicar sua mensagem da seguinte forma:

> *Se Deus se tornar alvo do seu mais profundo afeto...*
> Ou seja, se você se deleitar no Senhor, encontrar grande prazer e alegria nele, conhecê-lo bem procurando apresentar-se a ele e obedecer a ele continuamente...
> *... ele atenderá aos desejos do seu coração.*
> Isto é, você sentirá grande entusiasmo por profundas paixões, desejos, anseios, súplicas e aspirações que ele plantou em seu coração.

Deus quer que você, filha dele, tenha os desejos do seu coração satisfeitos (não os desejos humanos que a levam para o pecado,[1] mas os anseios divinos).

Sabe por que Deus almeja isso para você? É muito simples. Ele é um Deus apaixonado. Ele guarda profundos desejos e sentimentos por sua criação e um deles é o anseio de ter intimidade com seus filhos. Ele a criou para torná-la mais feliz à medida que sua paixão e seu afeto por ele forem solidificados e o glorificarem. Ele plantou esses desejos no seu coração antes mesmo do seu nascimento: desejo por seus planos, seus propósitos e seus objetivos. E mal pode esperar até que você desembrulhe o presente!

A vida de Jesus, o Filho perfeito de Deus, é um belo exemplo da realidade que Deus deseja para nossa vida. Quando Jesus viveu na Terra, era um homem apaixonado. Seu coração ardia pela obra de seu Pai, e ele reunia multidões com suas mensagens ousadas e fervorosas. Tudo o que fazia glorificava o nome de Deus. Muitas pessoas acorreram a ele e seu profundo e ardente amor por elas transformou suas vidas.

Querida amiga, você pode dar esse passo para perceber que Deus, como seu Pai amoroso, seu Aba/Pai, quer surpreendê-la e deleitá-la com os desejos do seu coração? Peço que considere que Deus está esperando o seu reconhecimento para que possa desfrutar as paixões que ele lhe deu. Você precisará delas na sua aventura, tanto em momentos de restauração pessoal quanto naqueles em que estiver realizando sua obra. Vejamos o que podemos encontrar nessa caixa de presente que contém as paixões que Deus amorosamente preparou para cada uma de nós.

DESEMBRULHE O PRESENTE DA PAIXÃO DE DEUS

Nossa paixão reflete nossos mais profundos anseios. Ela reforça a beleza que almejamos, como a arte ou a música, e demonstra nossa sede por coisas intangíveis, como liberdade ou aventura. Ela pode ser a expressão de nossas inclinações mais importantes. Por exemplo, a paixão pelo trabalho de detetive ou por palavras cruzadas pode ser o sinal de inclinação para resolver problemas. A paixão, às vezes, é tão poderosa que parece ter vida própria. Sem ser convidada, ela é capaz de nos deixar absortos durante horas em um mundo fascinante no qual o tempo parece estar congelado.

> *Em que atividade você é tão boa que a praticaria com o maior prazer, mesmo que fosse de graça? Qual é a sua paixão, a faísca que, com apenas uma leve brisa, atearia fogo em seu interesse?*[2]
> BOB BUFORD

Quais são os desejos de *seu* coração? Sua grande paixão se manifesta na forma de um *hobby*, como casas de boneca em miniatura, basquete, cavalos ou computadores? Ela se apresenta na sua carreira por meio de seu amor por leis, vendas, medicina ou literatura? Reflete-se no seu trabalho voluntário com determinado grupo ou causa, como mães solteiras, prisioneiros, defesa dos animais, pobreza ou analfabetismo? Sua paixão expressa-se em alguma forma de instrução, como aulas de aeróbica, estudo de idiomas, curso de autodefesa ou programa de recuperação? Sua paixão satisfaz-se com uma contribuição para uma entidade educacional ou política? Ou está ligada ao seu estilo de vida, ao seu desejo pessoal de casar, viajar ou viver na cidade?

Seja como for, Deus concedeu-lhe a dádiva da paixão e fez de você sua administradora. Então, responda: por que você não vive os desejos e o propósito que seu Criador planejou? Deus quer empregar cada parte de seu ser, até mesmo as paixões que lhe concedeu e que a impulsionam. Ele quer que a chama de sua paixão se mantenha acesa e esteja a seu dispor sempre que ele precisar servir-se dela para atender a seus propósitos. Talvez seja hora de dar o passo que substituirá o cansaço e a apatia pela inextinguível chama do amor pela vida.

Esse é o primeiro passo que damos na caminhada com propósitos que se compara ao vôo alto de uma águia.[3] É a oportunidade de você ter um tempo para dançar, rir, divertir-se e experimentar aquilo que faz seu coração bater mais forte. Quando abraçar totalmente esta etapa e compreender que Deus colocou bons desejos no seu coração, ela acabará com a indecisão que a paralisa e o medo de embarcar involuntariamente em uma missão que não seja ordenada por Deus. Ela responde a questões graves como: *Por que Deus permitiu que eu, um grande pecador, fizesse o que amo fazer? E se Deus não aprovar meus anseios mais profundos? E se fosse para eu fazer algo de que não gosto em vez de cumprir essa tarefa?*

Mas, além disso tudo, esta etapa aumentará sua sede de Deus. Ao avaliar os desejos do seu coração, perceberá que Deus é o que você mais deseja e se apaixonará por ele profundamente. Quando entender que o mesmo Deus que a criou no útero de sua mãe também criou esses desejos no seu coração, há de se lembrar do grande investimento que ele fez em você. Esse fato, em si, levará você a adorá-lo, agradecer-lhe e sentir um desejo ainda mais forte por ele e pelos propósitos que ele tem para você.

Viver de acordo com os desejos do seu coração não significa que não haverá mais provações, obstáculos e desafios. Mas a dádiva da paixão de Deus pode libertá-la para que viva sem culpa, sem a incerteza a respeito do que deveria ou não fazer para agradar a Deus. Se simplesmente fizer o que ele criou para você fazer e ser, encontrará mais sentido na vida do que imagina. Terá um sonho a realizar, um destino a cumprir, um Deus a quem servir e uma grande sinfonia para assistir. Deleite-se, portanto, na dádiva da paixão e deixe a música tocar!

> *O sucesso* [leia-se paixão!] *consiste em acordar de manhã, seja você quem for, esteja onde estiver, seja velho ou jovem, e saltar da cama porque existe algo no mundo por que é apaixonado, no que acredita e que faz bem feito — alguma coisa maior, que você mal pode esperar para fazer de novo hoje. Seu mais profundo desejo na vida é realizá-la. Não desistiria disso por quantia nenhuma, porque, em sua opinião, isso é mais importante do que o dinheiro.*[4]
> WHIT HOBBS

UMA PAIXÃO ARDENTE

Há milhares de anos, Deus faz nascer as paixões das mulheres para a realização de seus propósitos. Miriã era apaixonada por canto,[5] Dorcas gostava de costurar[6] e Ana de orar e jejuar.[7] Rute, uma viúva apaixonada pela família,[8] casou novamente e tornou-se a bisavó do rei Davi, ancestral de Jesus! Quem, a não ser Deus, poderia usar, tão eficazmente, os desejos do coração de uma mulher postos a serviço dele? Devemos ser gratas por ele continuar fazendo isso pelas mulheres hoje em dia.

Algumas amigas dedicaram suas paixões a Deus para que ele as usasse. Uma delas coordena um ministério de motocicleta, chamado "MCs para JC". Por ser diretora corporativa de RH, ela se entrosa facilmente com as pessoas em geral, nutre as amizades e interessa-se profundamente pelas histórias daqueles que conhece. Ela e o marido compartilham o amor por motocicletas e pelo ar livre. Tudo se conjuga quando ela conversa sobre Jesus com os motociclistas.

Outra amiga, apaixonada pelo povo asiático, organiza viagens missionárias evangélicas à China. Outra, que mantém vivo entusiasmo pela justiça, trabalha como voluntária em um abrigo para mulheres vítimas de maus-tratos. Uma amiga toca piano para adorar a Deus e inspirar suas aulas bíblicas; outra faz bordados com pessoas da terceira idade enquanto conta as histórias de Jesus. Outra, ainda, cultiva o antigo sonho de restaurar uma casa vitoriana para usá-la como retiro para pastores e esposas.

Uma de minhas amigas favoritas, Júlia, é apaixonada por *snowboard* e pelos ministérios ligados à juventude da igreja. Sempre que é convidada para proferir palestras para meninas adolescentes em um retiro em estações de esqui, sente que Deus tem paixão pelo crescimento espiritual dos jovens. Seu coração até pára de bater quando surgem oportunidades de conversas potencialmente transformadoras nessas ocasiões. Quem, a não ser Deus, imaginaria um ministério de discipulado por meio de um esporte como o *snowboard*? Somente ele poderia orquestrar um feito tão incrível.

Essas mulheres sentiram a emoção de Deus em suas vitórias; no entanto, a ele atribuíram todo o sucesso que obtiveram. Deleitaram-se no seu amor e na sua orientação, entregaram suas qualidades e esperanças ao Pai Celestial, para que fosse feita a vontade divina em sua vida. Enfrentaram a adversidade, arriscaram tudo e dedicaram-se totalmente aos seus sonhos apaixonados.

Sua paixão revelou-se em vários momentos de sua vida? Quando criança, você tinha paixão por criar animais, ler histórias de detetive ou desenhar? Na adolescência ou no início da vida adulta, mantinha a paixão por questões ambientais, por jogar vôlei ou por tirar a nota mais alta no colégio? Agora, adulta, tem paixão por ter um filho, construir casas para a Associação Humanitária Habitat (Habitat for Humanity® International) ou para ensinar inglês como segunda língua? O que você tem feito com essas paixões? Deus entregou-as a você com um propósito: o de serem usadas em sua glória e para o cumprimento de seus planos. Você se juntará a ele nesse propósito?

Paixão? Que paixão?

É possível que nossa detalhada sondagem sobre a paixão que lhe foi dada por Deus tenha perturbado você. Pode parecer ótima idéia, mas você deve estar pensando: *Há muito tempo, eu cultivava uma paixão, mas agora não sei mais nada. O que Deus deseja que eu faça a respeito disso?*

Em primeiro lugar, não fique triste. Todas as mulheres passam por períodos de dificuldade na vida, quando nossas paixões entram em estado de suspensão. Terri, por exemplo, deleita-se em tirar fotos em preto-e-branco de pessoas, lugares e coisas incomuns. Quando está com a câmera na mão, costuma dizer: "Não há nada melhor na vida do que isto!". Mas, recentemente, ela teve de tomar uma difícil decisão ao tentar conciliar a fotografia, as necessidades da família, seu ministério na igreja e sua carreira. Seu fanatismo por fotografia estava entrando em conflito com seus principais compromissos. As circunstâncias da vida forçaram-na a deixar de lado a fotografia por um tempo, mas, provavelmente, ela voltará à ativa quando as coisas se acalmarem.

Deus, que a criou e que cuida de você, sabe de tudo o que acontece em sua vida. Ele conhece suas obrigações e compromissos e os motivos que a possam ter levado a deixar de lado suas paixões temporariamente. Mas ele sabe mais do que isso. Ele sabe quando o medo, a culpa, os sonhos destruídos, a fadiga, o coração partido ou as pesadas responsabilidades não permitem que você veja o que seu coração deseja. Ele sabe quando você está tão sobrecarregada que não consegue nem *pensar* em seus desejos. Se for esse o caso, peça a Deus que use o profundo conhecimento que tem a seu respeito para aproximá-la dele, curá-la, fortalecê-la ou ajudá-la a confiar mais nele. Peça-lhe que, no momento oportuno, tire-a da condição desapaixonada na qual se encontra agora e encaminhe-a para algo que lhe dê grande alegria.

QUANDO A PAIXÃO SE EXTINGUE

Uma de minhas clientes, Debbie, acordou certa manhã sem vontade de praticar remo ou esqui aquático. A falta de interesse surpreendeu-a porque essas atividades eram paixões que desenvolvia com entusiasmo há dois anos, em fins de semana alternados. Tentou divertir-se em excursões de que participou depois desse dia, mas não sentiu o menor ânimo. Para ela, a emoção dos esportes aquáticos havia se evaporado.

Por que essa mudança repentina? Talvez não sentisse mais necessidade de adrenalina. Como completara 31 anos recentemente, talvez tivesse amadurecido e mudado. Mas, depois de vários encontros, descobrimos um motivo mais complexo para sua repentina falta de paixão.

Debbie era apaixonada por esportes aquáticos; sentia-se extremamente bem por se destacar em alguns deles. Sentia orgulho de suas realizações e gostava de ser admirada pelos amigos. A recompensa pessoal que recebia com sua paixão era tão satisfatória, que nunca pensara em olhar além dessa emoção. Nunca tentou ancorar sua paixão no resto de sua vida, para examinar como se aplicava a suas funções diárias ou à visão de Deus para sua vida. Ela se agarrou firmemente à sua paixão por seu próprio prazer e perdeu o privilégio de usá-la para promover a obra de Deus.

Não é de surpreender que sua paixão tivesse morrido. O fogo estava fadado a se extinguir porque ela não estabelecera nenhuma conexão entre essa paixão e seus propósitos de vida básicos vindos dos céus. Sua paixão pelos esportes aquáticos nunca fez parte da idéia de ser inteiramente fiel a Deus, como ensina a Bíblia.[9] Quando a paixão rapidamente se extinguiu, Debbie não entendeu a apatia, o vazio e o enfado que começou a sentir. Então, ela me perguntou: "Será que a vida se resume ao esqui aquático?". E, ainda: "O que farei agora?".

COMO PREENCHER O VAZIO DA PAIXÃO?

As perguntas que Debbie levantou revelam apenas o quanto a paixão é essencial em nossa vida. Sem a paixão ordenada por Deus, estamos sujeitos a sofrer de vários males. Em seus escritos, o dr. Viktor Frankl descreve o enfado e o vazio de uma vida sem paixão como um "vácuo existencial". Ele identifica uma condição relacionada específica que chama de "neurose dominical", um tipo de depressão que se instala quando o ritmo frenético de uma semana de trabalho termina e a pessoa sente como se sua vida fosse um grande vazio. Expõe, então, alguns perigos que as pessoas sem um propósito apaixonado enfrentam:

> Elas são assombradas pela experiência do vazio que sentem intimamente, uma lacuna. [...] Muitos casos de suicídio têm como causa esse vácuo existencial. Fenômenos bastante comuns como depressão, agressividade e vício não poderão ser compreendidos, a menos que reconheçamos esse vácuo existencial subjacente.[10]

A falta de paixão pode se tornar um problema sério rapidamente, de maneira especial quando tentamos preencher o vazio com paixões maléficas. Não há como negar a atração irresistível de paixões como jogo, álcool, pornografia, consumismo, adultério e drogas. Mesmo hábitos inocentes, como os de assistir a programas de entrevista na TV o dia inteiro, fazer compras constantemente, conversar longas horas ao telefone ou limpar a casa obsessivamente, podem ser formas destrutivas de alimentar uma necessidade não suprida de se ter uma verdadeira paixão. Para experimentar realmente os desejos do coração e descobrir o propósito de Deus, devemos nos proteger do poder de sedução dessas paixões perniciosas.

Quando se trata de lidar com paixões perniciosas, precisamos estar atentos e exercitar o bom-senso. Às vezes, elas revelam uma necessidade de abrandar o sofrimento ou de fugir. Outras vezes, elas estão relacionadas com o impulso de controlar os outros, obter satisfação imediata, ser temido ou colocar-se em primeiro lugar. Não raro, baseiam-se no senso de merecimento, em uma atitude do tipo *eu mereço, é meu direito*. Normalmente, são apenas uma tentativa de preencher o vazio, o que só pode ser feito por Jesus e pelo sentido e propósito que ele dá à vida.

Portanto, se você tem problemas nessa área, deixe que as paixões saudáveis dadas por Deus ajudem-na a se proteger das perniciosas. Diga a Deus que você deseja que as paixões plenas do Espírito sejam insufladas em você, e não as perniciosas com as quais poderia envolver-se. Ao mudar o foco, você terá com o que se ocupar pelo resto da vida e não terá tempo nem para pensar em fazer compras!

> As mulheres têm mais consciência do que será gravado em suas lápides, e não será: "Trabalhei na IBM".
> LYNN MARTIN, EX-MINISTRA DO TRABALHO DOS ESTADOS UNIDOS.[11]

Seja qual for a fase pela qual você está passando na vida, plena ou despojada de paixão, lembre-se sempre de avaliar suas escolhas diante do seu sistema de valores, da dinâmica da família e de suas crenças cristãs. Pela oração e pela auto-análise, você saberá se suas paixões estão em consonância com as prioridades que Deus lhe deu.

Espere pelo que Deus fará

Deus sabe que os melhores ministérios da vida envolvem várias áreas de paixão da mulher. Por exemplo, minhas cinco paixões preferidas são: ajudar outras mulheres, os mistérios de Sherlock Holmes, palavras-cruzadas que jamais me cansam, o propósito de vida e viajar, algo para o qual estou sempre pronta. Então, qual é o propósito perfeito que Deus, graciosamente e por pura bondade, orquestrou para mim? Ajudar as mulheres a resolver os mistérios e os quebra-cabeças de sua vida, encorajando-as a refletir sobre seus propósitos atuais e futuros. E, como palestrante e missionária voltada para mulheres no mundo, preciso viajar.

Somente Deus poderia traçar um plano tão perfeito com todas as minhas paixões. Agora você percebe o quanto é importante identificar os desejos do seu coração e permitir que eles se tornem parte de sua vida diária? Não espere a vida inteira para começar a pedir que Deus revele as paixões plenas de propósitos na sua vida. Isso quase aconteceu comigo. Dê esse passo hoje. Você não se arrependerá!

Guia de viagem para se deleitar em suas paixões

As sugestões e as atividades descritas a seguir ajudarão você a descobrir e a nutrir os desejos que Deus colocou em seu coração. Comece hoje, mas não se apresse. Leve o tempo necessário para encontrar e entender como suas paixões confluem para o propósito de Deus em sua vida.

Dicas básicas para começar

Para ter uma idéia clara dos desejos do seu coração, experimente aplicar as sugestões a seguir que ajudaram muitas mulheres ao longo dos anos:

- Ande com pessoas apaixonadas. Um pouco da energia delas acabará passando para você!
- Pergunte à família e aos amigos se eles notaram alguns dos desejos ou possíveis paixões que você nutre.
- Escreva breves notas no seu diário espiritual sobre seus momentos de maior alegria, independentemente de seu tipo, extensão ou de sua natureza. Peça que Deus revele quaisquer desejos ou paixões que possam estar ligados a esses momentos de alegria.
- Saia da toca! Faça algo diferente, incomum, fora da sua rotina normal. Acenda velas caras e use suas toalhas reservadas para as visitas; seja voluntária em um abrigo para animais; vá a um restaurante marroquino; participe de um grupo de discussão literária; inscreva-se em uma associação de esportes recreativos; faça visitas a asilos ou hospitais. Faça o que for necessário para sair da monotonia e ganhar inspiração para pensar além do seu trabalho diário.
- Quando reconhecer várias paixões, dedique-as a Deus e aproveite-as.

Cuidado com o ciúme

Cuidado para não sentir ciúme dos desejos, dos sonhos e das paixões que Deus atribuiu a outras pessoas. Lute contra a inveja: procure-a, desmascare-a, rejeite-a e abandone-a. Pela minha experiência, uma das melhores maneiras de fazer isso consiste em ajudar as pessoas a realizarem seus sonhos. Ore por elas, encoraje-as, ajude-as, apresente-as a outras pessoas que possam estimulá-las, compartilhe suas riquezas com elas e instrua-as.

Sonhe acordada

Quer você esteja pronta quer não para uma nova carreira ou ministério hoje, pense sobre o que poderia despertar sua paixão.

Solte sua imaginação e pense como seria. Esse exercício irá proporcionar uma idéia real. Peça que Deus lhe indique uma paixão a fim de que você possa começar a investigá-la no momento oportuno.

Não perca tempo!
Experimente. Siga sua intuição até se sentir apaixonada por algo que seja legítimo, digno e ético! Dê tempo ao tempo. Não apresse a descoberta.

Você pode querer trabalhar como voluntária em uma biblioteca, tornar-se técnica de futebol ou ser professora da escola dominical. Se alguém lhe perguntar por que, de repente, você decidiu aprender a decorar bolos, dançar música folclórica, mergulhar ou pilotar aviões, fique à vontade para jogar a culpa em mim. Ponha suas idéias em prática, uma a uma, com experiências de baixo orçamento — mas não me mande a conta!

Sonde outros desejos de seu coração, como adoção, outro trabalho, mudança de casa ou viagem. Considere também importantes contribuições à sociedade que estejam ligadas a esses desejos, como, por exemplo, restabelecer a oração nas escolas, ajudar as prostitutas a abandonarem as ruas, ou criar um programa cristão de entrevistas. Só mais um conselho: se você estiver desenvolvendo uma paixão por uma grande idéia, vá com calma!

LIVROS RECOMENDADOS SOBRE PAIXÃO

Qual a cor do seu pára-quedas?, de Richard Bolles[12]
The Power of Uniqueness [O poder da individualidade], de Arthur Miller Jr. e Bill Hendricks[13]

ESTÁ NA HORA DE VIVER APAIXONADAMENTE

Você está pronta para dar esse passo na direção de Deus e do propósito que ele estabeleceu para sua vida: *esperar que Deus aten-*

da aos desejos de seu coração? Você se sente agradecida pela dádiva da paixão que Deus lhe deu? Você entende como uma vida apaixonada pode aproximá-la ainda mais dele, e como essa paixão liga seu coração ao coração de Deus?

Se você descobriu sua paixão e catalisou sua força, aproveite o espetáculo quando Deus lhe mostrar como honrar sua família, sua igreja, seu bairro e o mundo com essa dádiva. Ele quer empregar cada parte de você, até mesmo seu profundo anseio em realizar a obra dele na Terra. Se você está apenas começando a descobrir sua paixão, peça a Deus para intensificá-la. Se sua paixão tiver perdido o brilho, peça que ele acione os primeiros-socorros espirituais para ressuscitá-la!

A SABEDORIA DE DEUS PARA A CAMINHADA

O EXEMPLO DE VIDA DE ANA: ESPERAR QUE DEUS ATENDA AOS DESEJOS DE SEU CORAÇÃO

Para aprender a lição de Ana nesta etapa de sua vida, leia 1Samuel 1.1—2.11. Ana queria um filho tão apaixonadamente, que derramou seu coração diante do Senhor em oração. Ela disse que, se Deus a abençoasse com um filho, ela o consagraria ao serviço do Senhor. Eli, um sacerdote que a observara enquanto orava, lhe disse: "Vá em paz, e que o Deus de Israel lhe conceda o que você pediu" (1.17). Mais tarde, Ana concebeu Samuel. Quando o menino desmamou, ela o levou para ser criado no templo. Você tem uma paixão tão grande quanto a de Ana? Você a entregará ao Senhor para que ele cumpra sua vontade?

QUESTÕES PESSOAIS DA CAMINHADA

Examine as várias categorias de suas paixões: um *hobby* pelo qual você sinta entusiasmo, um anseio pessoal que tenha, um grupo ou uma causa que deseje ajudar ou uma contribuição que apreciaria fazer. Esse exercício simples ajudará você a pensar nas respostas para a questão: "Qual é a sua paixão?", a partir de quatro perspectivas diferentes.

1. Por qual *hobby* você sente entusiasmo?
    a. jogar futebol
    b. colecionar antiguidades
    c. pescar
    d. cozinhar
    e. fazer escalada
    f. costurar
    g. ler
    h. mergulhar
2. Que *anseio ou esperança* pessoal você tem?
    a. comprar uma casa de campo com uma cerca de estacas brancas
    b. obter segurança financeira
    c. ter filhos
    d. casar
    e. ser conselheira
    f. escrever e vender um roteiro
    g. viajar
3. Que *grupo ou causa* desperta sua mais profunda paixão?
    a. terceira idade
    b. animais em extinção
    c. analfabetos
    d. imigrantes
    e. justiça social
    f. defesa da vida
    g. floresta amazônica
    h. desempregados

4. Que *contribuição* você sonha apaixonadamente em fazer?
   a. fazer pequenas viagens missionárias
   b. evangelizar produtores artísticos/artistas de TV
   c. alimentar os sem-teto
   d. defender os direitos dos portadores de necessidades especiais
   e. formar um coral
5. Pensando nas respostas para as questões anteriores, de que forma Deus poderia usar uma ou mais de suas paixões para lhe entregar uma tarefa edificadora para o Reino? Não existem respostas incorretas. Dê asas à sua imaginação.

Notas

[1]Tiago 1.14 nos adverte: "Cada um, porém, é tentado pelo próprio mau desejo, sendo por este arrastado e seduzido".

[2]BUFORD, Bob. *Halftime: Changing Your Game Plan from Success to Significance.* Grand Rapids: Zondervan, 1994, p. 81.

[3]V. Isaías 40.31.

[4]HOBBS, Whit. *I Love Advertising.* New York: Adweek Books, 1985, p. 14-5. Tradução livre.

[5]V. Êxodo 15.20,21.

[6]V. Atos 9.39,40.

[7]V. Lucas 2.36,37.

[8]V. Rute 1.16-18.

[9]V. Josué 14.6-15, especialmente o versículo 8.

[10]FRANKL, Viktor. *Man's Search for Meaning.* Boston: Beacon Press, p. 111-2. 1959, 1962, 1984, 1992 by Viktor Frankl. Reimpresso sob licença da Beacon Press [*Em busca de sentido:* um psicólogo no campo de concentração, Editora Vozes, 1999, 2000, 2001].

[11]MORRIS, Betty & COXETER, Ruth. "Executive Women Confront Mid-life Crisis", *Fortune,* 18 set. 1995.

[12]BOLLES, Richard Nelson. *What Color Is Your Parachute?,* Berkeley, Califórnia: Ten Speed Press, 1995, atualizado anualmente [*Qual a cor do seu pára-quedas?:* como conseguir um emprego e descobrir a sua profissão ideal, Sextante, 2000].

[13]MILLER, Arthur & HENDRICKS, Bill. *The Power of Uniqueness.* Grand Rapids: Zondervan, 2002.

Capítulo 10

OFEREÇA SUA VIDA A DEUS

> *Peço que vocês se ofereçam completamente a Deus como um sacrifício vivo, dedicado ao seu serviço e agradável a ele*
> (ROMANOS 12.1, NTLH).

Se, a esta altura da caminhada, você pensa que está pronta para dar o grande salto até seu propósito, a etapa a seguir poderá surpreendê-la ou até decepcioná-la. Esta fase da caminhada com propósitos — *oferecer sua vida diariamente a Deus como sacrifício vivo* — não se resume a uma única pedra, mas a várias pedras pequenas. À primeira vista, você pode confundir-se um pouco. Vi muitas mulheres ficarem paralisadas, totalmente desnorteadas, diante desse aglomerado de pedras. Sem saber o que fazer, às vezes, perguntam: "Só existe este caminho? Como pedras tão pequenas podem conduzir-me a meu grande propósito?".

Confie em mim, elas conduzirão. O processo da oferta em várias pequenas etapas torna muito mais fácil a decisão de oferecer sua vida a Deus. Além disso, o tamanho da pedra não corresponde à dificuldade da etapa nem à distância que será percorrida. Depois de dar esse passo, até mesmo os pequenos atos de obediência ajudarão você a desenvolver a fé com mais rapidez.

Algumas mulheres, porém, resistem à idéia de se entregar. Elas querem fazer algo significativo por Deus, mas querem ter controle sobre o que, quando e como farão. Entregar-se não faz parte de seus planos. Outras mulheres simplesmente não acreditam que Deus realmente espera que elas ofereçam completamente cada aspecto de sua vida a ele. E, como o Espírito Santo jamais coage alguém a se entregar, elas não saem do lugar em que estão. Os anos passam e elas nunca aproveitam a oportunidade que Deus colocou à sua frente.

E quanto a você? Quer dar mais um passo a fim de conhecer Deus e os propósitos que ele tem? A caminhada com propósitos aproximou-a tanto dele a ponto de despertar o desejo de fazer tudo o que ele determina? Então, vamos descobrir o que as pedras significam.

Por que a entrega é tão importante?

É simplesmente impossível realizar o grande propósito que Deus nos confiou sem que entreguemos nossa vontade e nossa vida a ele. A entrega, que pode ser definida como "dedicação integral, consagração", é um ato pensado e intencional de obediência diária ao Espírito Santo. Consiste em concordar com ele que Cristo é nosso Rei e devemos servi-lo acima de tudo. A entrega total começa no momento em que concordamos em fazer de Jesus Cristo nosso Salvador e Senhor, e continua à medida que lhe concedemos o senhorio em todas as áreas de nossa vida: família, ministério, finanças, lar, trabalho, *hobbies*, relacionamentos, educação, sentimentos, crescimento espiritual e outras.

A entrega é essencial à *santificação*, processo contínuo pelo qual nos livramos do pecado e somos selecionados para realizar a obra e os propósitos de Deus. Entregar-se é aprender a viver para uma única pessoa: Deus. Para tanto, precisamos nos afastar a cada minuto de todos os ídolos que mantemos em nossa vida. Isso significa que precisamos abrir mão de tudo que colocamos à frente de Deus — tudo o que nos é mais caro: sucesso, viagem, talentos, compulsões, relacionamentos ou qualquer outra coisa que tenha prioridade em nossa vida.

Se o Senhor lhe pedir que entregue alguma coisa em suas mãos, por favor, obedeça. Mesmo que esse processo leve anos, meses, ou apenas segundos para acontecer, seja para oferecer um aspecto físico, espiritual ou emocional, comece já a dar os primeiros passos da entrega que Deus requer em seu caminho. Assim que isso acontecer, seus olhos se abrirão para as verdades que a levarão a se submeter ainda mais ao controle de Deus.

Se, por acaso, você for uma mulher um pouco controladora e estiver inclinada a resistir a esta etapa, talvez seja necessário se preparar para enfrentar a verdade. É hora de se lembrar de que toda a Criação pertence a Deus. Nossa vida nos foi apenas emprestada. Deus tem todo o direito de reclamar nossa entrega e, um dia, ele realmente o fará! A Bíblia diz que até "o abismo", um dia, se entregará ao Senhor.[2] Portanto, resta saber apenas se nos curvaremos a Deus agora ou depois.

> *A prova da entrega da vida é sempre a obediência.*
> RICK WARREN[1]

Deus deu a você o livre-arbítrio, a permissão para decidir como será sua vida neste mundo e não interferirá nisso. Ele não exigirá que você se entregue neste momento, não a intimidará, nem implorará para que o faça. Em vez disso, esperará pacientemente até que você lhe ofereça, espontaneamente, o bem precioso de sua vida.

Seguir Deus não é nenhum *hobby*. A grande questão da mulher que se entrega ao Senhor não é "O que eu quero?" nem "O que quero fazer por Deus?". A questão de um coração submisso, que deseja os propósitos de Deus acima de tudo, é: "O que o Deus do Universo deseja *para* mim e *de* mim?".

ENTÃO, O QUE REALMENTE FAZEMOS PARA NOS ENTREGAR?

Depois de travar a batalha "eu quero, você quer" com Deus e chegar à conclusão de que a entrega será seu modo de vida, o que você deve fazer? Como saber o que devemos entregar?

Boa pergunta! Deus nos dá oportunidades de entrega de diversas maneiras. Precisamos aprender a reconhecê-las. O Espírito Santo, de uma forma ou de outra, sempre a instará a se entregar e lhe dará a oportunidade de decidir como você reagirá. Ele pode instigá-la por meio de uma idéia, de uma passagem da Bíblia, do comentário de um amigo, de um incidente, de um momento de pesar, ou de diversas outras maneiras. Ele pode revelar sua mensagem por meio de um pensamento insistente, que ocorra várias vezes durante o dia ou que seja a primeira coisa que lhe venha à mente ao acordar pela manhã. Não se surpreenda se um pedido para você se entregar surgir do nada, quando você estiver em uma enorme fila de espera de um restaurante!

Que tipo de oportunidades de entrega Deus nos dá? Bem, Deus pode pedir que você lhe entregue o controle de suas metas e seus planos futuros. Ele pode pedir que você lhe entregue coisas tão diversas quanto a compulsão por doces, o desejo de ser popular, dívidas cada vez maiores do cartão de crédito, a história do seu passado, ou seus bens mais queridos.

Saiba que uma resposta afirmativa ao Espírito Santo, em determinada área (seja de menor ou de maior importância), terá um "efeito bola de neve", ou seja, você será instada a entregar ao domínio de Deus coisas que, conforme imaginara antes, estavam fora da competência dele. Isso acontece porque, a cada pequena entrega, seu coração fica ainda mais enternecido diante de Deus. A cada entrega, sua visão aumenta e a perspectiva divina torna-se mais clara para você.

Saiba também que você terá de tomar decisões bastante difíceis nesta etapa. Portanto tenha paciência. Repito: tenha paciência! Não se atormente nem se irrite, porque nem você, nem ninguém é perfeito. Mas Deus *é* perfeito e, quando nos entregamos a ele, podemos contar com seu amor, apesar de nossa imperfeição, e podemos nos aproximar ainda mais dele e de seus propósitos.

A entrega é um dos grandes desafios da fé que você terá de enfrentar, mas Deus a preparará, a cada passo, para que se entregue completamente a ele e dedique-se totalmente aos propósitos que ele estabeleceu. À medida que você caminhar mais perto de Deus, a cada dia, sua confiança no Senhor dos senhores aumentará, e Jesus será suficiente para você. Finalmente, chegará o dia, se é que ainda não chegou, em que o Espírito Santo colocará a mão sobre seu ombro e perguntará: "Agora, você está pronta para entregar sua vida inteira a Cristo? Vai se submeter ao plano que o Senhor traçou com todo o amor para você?". É um grande privilégio ser instada a oferecer-se completamente ao juízo de Cristo em meio às circunstâncias da vida.

Pura teimosia

Não é fácil admitir, mas tenho certeza de que fui um dos casos de oferta mais difíceis que o Espírito Santo já enfrentou. Evitei a entrega de todas as formas possíveis. Tentei ignorar essas etapas, ora fingindo que eram muito insignificantes para que me preocupasse, ora convencendo-me de que estavam além do meu alcance. Evitei a entrega do dízimo a Deus, de minha carreira, meus sonhos, deste livro e da perspectiva de "desejos *versus* necessidades". Nada disso, entretanto, compara-se às longas batalhas que travei para conseguir renunciar ao cigarro, à minha casa, aos meus filhos e aos doces.

Entregar o cigarro

Comecei a fumar na adolescência e continuei por 17 anos. Finalmente, fiquei tão preocupada com as conseqüências de meu vício para a saúde, que tentei largar o fumo. Durante quatro anos, fiz tudo o que era humanamente possível, mas nada funcionou. Cortei os cigarros, joguei-os na privada, esmaguei-os com o salto do meu sapato e até deixei de comprá-los, o que me levou a "filar" cigarros dos outros. Mas que piada!

Consegui parar no momento em que descobri que estava grávida de meu primeiro filho, mas retomei o hábito depois que ele nasceu. (Perdoe-me. Não se conheciam os efeitos do fumo passivo naquela época.) Foi então que meu marido e eu começamos a freqüentar a igreja regularmente. Depois de um sermão dominical especialmente convincente sobre as mudanças que o estilo santo de vida trazem, convenci-me de que o fumo era algo que precisava ser entregue a Deus. Em virtude de minhas tentativas fracassadas no passado, acreditava que fosse totalmente impossível; mesmo assim, pedi a Deus que me ajudasse a parar de fumar.

Não tenho a menor dúvida de que foi Deus quem instituiu a política do "proibido fumar" em minha vida. Logo, no dia seguinte, ele me fez passar por uma experiência da qual jamais me esquecerei. Na manhã do domingo, fui nadar na piscina coberta da nossa comunidade. Conforme parava para recobrar o fôlego depois de algumas voltas, ficava cada vez mais nauseada com o cheiro enjoativo e adocicado de cigarro que emanava do cabelo, da pele e da respiração do tagarela que estava na raia ao lado. O forte odor saturou toda a camada de vapor que pairava sobre a superfície da água aquecida. Não fumava desde o dia em que Deus me colocou no que chamo de Centro Personalizado de Tratamento Antitabaco. Hoje, não consigo nem olhar para alguém que esteja fumando (mesmo com a janela do carro fechada), sem sentir falta de ar.

Antes de entregar o hábito de fumar a Deus, jamais imaginara que parar de fumar causaria um impacto espiritual tão grande em minha vida. Aprendi que Deus era bastante poderoso para me ajudar a enfrentar os problemas que não podia resolver sozinha. Com esse conhecimento, agora ficou mais fácil me entregar a ele em outras áreas. Ficou mais fácil confiar que ele cuidará de todas as minhas fraquezas. Se Deus pôde fazer-me largar o cigarro, então ele pode tudo!

Entregar minha casa e meus filhos

Com certeza, o mais difícil de entregar a Deus — e talvez você pense ser tolice porque, provavelmente, espera que eu diga que o mais difícil foi entregar meus filhos — foi o casarão de cinco quartos que comprei há cinco anos, depois do divórcio. Sabia que minha casa pertencia a Deus e que eu era apenas a administradora daquilo que ele me confiara, mas isso não me impedia de idolatrá-la. Minha linda casa, localizada em uma área luxuosa, conferia-me *status*. Não concebia a idéia de renunciar a ela, especialmente se Deus me pedisse que me mudasse para um lugar que não me agradasse.

Então, percebi que precisava vendê-la. Durante um ano inteiro, porém, bati o pé e me recusei a fazê-lo. Foi um pesadelo viver tentando fugir da vontade de Deus para minha vida por causa de minha teimosia. Mas Deus é persistente. Ele continuou a me fazer lembrar de seu desejo por meio do sábio conselho de meu irmão, Paul, e minha irmã, Cathy. Ele continuou a me infundir a necessidade de resumir e simplificar minha vida.

Finalmente, cheguei a um ponto em que sabia que simplesmente precisava obedecer a Deus e vender a casa. Depois que me mudei para uma casa menor, de repente sobrou mais tempo e energia. Pude me concentrar mais em meus livros, coisa que não conseguia fazer antes, com todos os reparos, tarefas domésticas e decoração que tinha para fazer.

> *Muitos são os planos no coração* [da mulher], *mas o que prevalece é o propósito do Senhor*
> (PROVÉRBIOS 19.21).

Por pior que possa parecer, acreditei ser mais fácil entregar meus filhos a Deus do que entregar-lhe minha casa. Triste, não? Mas, no fundo, sabia que meus filhos estariam muito melhor nas mãos de Deus do que nas minhas. Embora também fosse extremamente difícil, entreguei a vida dos meus filhos a seus cuidados, por meio de uma simples e sincera oração. Na verdade, tive de repeti-la várias vezes. Parece que durou uma eternidade até que eu conseguisse pronunciar as palavras com sinceridade. Embora não tenha deixado meus filhos em um templo local para serem criados por um homem santo, como Ana fez com o filho, Samuel, decidi crer que Deus os amaria e conduziria melhor sua vida do que eu poderia fazer.

Entregar os doces

Passei a vida atrás de chocolate e apaixonada por sorvete. Empreguei várias estratégias brilhantes para abandonar os doces, como:

- Não os levar para dentro de casa
- Não os levar para o escritório da igreja
- Não os consumir, se não ingerisse proteína ou uma salada
- Não os consumir diante da TV
- Não os consumir se tivesse de comprá-los
- Não os consumir depois das 15 horas (exceto se fosse oferecido como sobremesa oficial do jantar)
- Consumir somente duas bolas de sorvete, sem a casquinha
- Consumir somente três bolas de sorvete, sem cobertura
- Consumir doces apenas aos domingos
- Consumir doces somente em uma comemoração especial: Dia de Ação de Graças, Natal, Ano Novo, Dia dos Namorados, Dia das Mães e assim por diante

Há alguns anos, cansei de levar essa vida torturante; então comecei um jejum de doces que durou um ano. Para minha surpresa, foi fácil, mas minha ingestão de doces extrapolou novamente assim que o jejum acabou. Há quatro anos paro e volto a comer doces, porque ainda não consigo apreciá-los com moderação.

Entre outras coisas, minha entrega intermitente ensinou-me que Deus aprecia quando faço jejum de doces apenas para glorificá-lo. Sempre que decidimos fazer isso, abrindo mão de algo que idolatramos, Deus exalta nossa atitude. Descobri que aprendo mais sobre oração, propósito, preparação e outros aspectos do crescimento espiritual quando entrego a ele algo que idolatro. Por isso continuarei a pedir sua intercessão nesse processo.

As ricas recompensas de Deus pela entrega

Aprender a nos entregar é mais do que um exercício de aquecimento que prepara nosso coração e nossa alma para um futuro propósito do "Grande Curandeiro" na vida. A submissão ao senhorio de Cristo também é um propósito distinto e tangível para hoje, que começa com o pagamento imediato de dividendos. Considere por um momento as recompensas transformadoras que Deus nos concede quando nos entregamos a Cristo, nosso Rei.

Fazemos uma oferta a Deus quando nos entregamos, mas ele nos dá muito mais em troca. Quando nos submetemos a Deus, ele começa a transformar nossa vida. E a vida transformada resulta em preciosas bênçãos do Espírito: "Amor, alegria, paz, paciência, amabilidade, bondade, fidelidade, mansidão e domínio próprio".[3] Quanto mais nos entregamos a Deus, mais somos transformados e mais bênçãos do Espírito são derramadas sobre nós. Não posso imaginar bens mais valiosos no mercado hoje do que esses nove frutos da entrega, inspirados pelo Espírito Santo. Se pudéssemos engarrafá-los e vendê-los, ficaríamos ricas. No entanto, Deus os dá em abundância às mulheres que se entregam a ele e usam sua vida para servi-lo.

Agora, imagine só o que você ganhará se entregar suas atividades diárias, seus problemas e suas preocupações ao Grande Conselheiro. Ele lhe dará toda a sabedoria e determinação necessárias para viver com adoração, gratidão, serviço e propósito. Ao se juntar àquele que pode prepará-la para futuros perigos e oportunidades, você se tornará mais receptiva ao discernimento santo sobre como administrar suas funções e gerir suas escolhas. Pense no tempo que você ganhará para lazer, oração, família e ministério, se fizer isso. Será um alívio! É uma ótima recompensa para o investimento da entrega.

No entanto, Deus garante uma recompensa ainda mais valiosa pela entrega. Ao renunciar humildemente à sua vontade para fazer a dele, mesmo nas pequenas coisas, você estará agradando ao Deus do universo que promete jamais abandoná-la. É uma recompensa e tanto! Mas pense um minuto: isso é suficiente? A entrega realmente compensa?

A ETAPA MAIS LONGA DE TODAS

Em uma conferência em nossa igreja, Kay Warren, a esposa do pastor, levantou uma questão importante em relação à entrega. Ela perguntou às mulheres se elas seguiriam Deus, mesmo que ele não fizesse mais nada por nós.[4] Como tinha passado pela experiência de entrega e colhido suas ricas recompensas, julguei o tema merecedor de uma boa reflexão. "E se Deus não me ajudasse a realizar o grande sonho de fazer alguma coisa pelo mundo?", pensei. "Será que ainda o seguiria?"

Essa perspectiva fez-me questionar não apenas se *seguiria* a Deus, mas também se o *amaria*, caso perdesse tudo, até mesmo meus filhos. Será que o amaria se desenvolvesse uma doença fatal? Não me orgulho disso, mas minha primeira reação a essas perguntas foi totalmente egoísta. Veja uma transcrição do que registrei em meu diário espiritual: "Sinceramente, seguiria todas as formalidades cristãs necessárias, mas ficaria revoltada com Deus, muito revoltada!".

Sem dúvida, eu sabia qual era a resposta apropriada para aquela questão e qual ficaria feliz em receber. Mas demorei dias para aceitá-la sinceramente. Como costumo dizer, tive de "digerir" aquelas informações à minha própria maneira, um processo nada bonito de se ver. Costumo exagerar um pouco nos cinco estágios da dor descritos por Elisabeth Kübler-Ross: negação, raiva, barganha, depressão e, depois de muita choradeira, a aceitação. Finalmente, consegui orar com toda a sinceridade que me era possível naquela época:

> Ó, Deus, esvazio hoje meu ser, para que o preenchas. Dá-me graça para amar-te, quer continues quer não a abençoar minha família e a mim. Ficarei satisfeita com qualquer bênção que decidires me conceder ou resolveres me tirar: meus filhos, meus olhos, minhas mãos, minha voz, meus órgãos, minha energia ou minhas posses. Tudo é teu, e não meu. Perdoa minha arrogância em agir como se estivesse dando algo que me pertencesse. Na verdade, tudo o que tenho já é teu e me foi apenas emprestado. Deixo tudo em tuas mãos, que são generosas. Confio em ti.

Desde então, repito essa oração. Descobri, também, e passei a apreciar uma passagem da Bíblia que fala da entrega incondicional a Deus:

> Mesmo não florescendo a figueira, e não havendo uvas nas videiras, mesmo falhando a safra de azeitonas, não havendo produção de alimento nas lavouras, nem ovelhas no curral nem bois nos estábulos, ainda assim eu exultarei no SENHOR e me alegrarei no Deus da minha salvação.
> O SENHOR, o Soberano, é a minha força; ele faz os meus pés como os do cervo; faz-me andar em lugares altos.[5]

O autor dessa passagem, Habacuque, deixa claro que se regozijaria em Deus, apesar das dificuldades que ele permitiria que o povo de Judá sofresse. Habacuque deu o passo da entrega e decidiu seguir a Deus, embora sua perspectiva não fosse muito boa. Nós também temos de fazer uma escolha semelhante. Você dará o passo da entrega? Decidirá seguir a Deus, mesmo que ele nunca mais faça nada por você?

GUIA DE VIAGEM PARA SE ENTREGAR PASSO A PASSO

As etapas descritas a seguir irão ajudá-la a descobrir quais áreas de sua vida Deus deseja que você lhe entregue. Pratique-as nos próximos dez dias para estabelecer novos hábitos que a ajudarão a prosseguir na caminhada com propósitos.

O desafio dos dez dias

Revelação: busque a verdade

A princípio, não faça nada. Procure apenas ficar parada e aquietar sua alma. Peça que o Espírito Santo se manifeste durante o processo, nesses dez dias, e revele a verdade sobre um relacionamento, uma situação, um bem, um sentimento ou uma atividade que a esteja impedindo de cumprir seus propósitos na Terra. Ouça atentamente. Preencha esse tempo com muita oração e leitura da Bíblia. O Espírito Santo dará a você uma impressão sobre a pessoa, o lugar, a coisa, a emoção ou o comportamento ao qual talvez esteja apegada demais.

Investigação: faça sua parte

Para tomar a decisão final sobre a entrega que o Espírito Santo deseja que você faça, pense e aja como um detetive em busca da verdade. Faça uma ligação telefônica, leia um livro, converse com um conselheiro cristão ou assista a uma conferência apropriada. Continue a fazer as perguntas e a buscar as respostas, até chegar a uma conclusão aceitável a respeito da próxima etapa da entrega.

Cálculo: avalie o custo

Calcule o que mudaria na sua vida se Deus decidisse aceitar sua entrega. A Bíblia menciona esse sacrifício: "Qualquer de vocês que não renunciar a tudo o que possui não pode ser meu discípulo".[6] Pergunte-se: "E se Deus levar meu carro, meus pais, minhas economias, meu pequeno grupo, os lucros da minha empresa, meu conforto pessoal, meu tempo ou minha saúde?". Prepare-se para realmente *abrir mão* de tudo o que afirmar que entregará. Evite subterfúgios, como: "Deus, te entregarei isso se fizeres aquilo". Não se trata de uma negociação na qual você exige o que quer em troca do que pretende entregar. Deus já é dono de tudo! Suas opções são: entregar ou não entregar.

Transformação: pense com a mente de Cristo

Depois que o Espírito Santo lhe revelar uma oportunidade de entrega, e você fizer o dever de casa e calcular o custo, siga o conselho do apóstolo Paulo e aplique decididamente o fundamento de Cristo: "Não se amoldem ao padrão deste mundo, mas transformem-se pela renovação da sua mente, para que sejam capazes de experimentar e comprovar a boa, agradável e perfeita vontade de Deus".[7]

Procure ser como Cristo. Concentre-se nele e peça que ele transforme a sua mente. Estude passagens bíblicas que possam ajudá-la a fazer a entrega de uma área específica de sua vida. Se não considerar uma transformação permanente, acontecerá o mesmo que se dá com as resoluções de início de ano: normalmente, vão por água abaixo.

Declaração: renuncie publicamente ao controle de sua vontade

Diga a Deus que você deseja se despojar de um ídolo nocivo. Como a entrega é um ato deliberado, e não o resultado de suas emoções ou seus sentimentos, redija uma declaração formal sobre a atitude que decidiu tomar. Pode registrá-la em um diário, mesmo que tenha de usar códigos, como muitas vezes eu fiz para despistar possíveis leitores não autorizados. Depois, apresente sua decisão a outro cristão e peça que ele a ajude a cumpri-la, vigiando você.

Dedicação: comece fervorosamente

Cerque-se de uma ou mais guerreiras de oração que se comprometam a orar para que você consiga se entregar! Peça que orem pelo tempo que for necessário. Então, aguarde a resposta radical ou o socorro do nosso maravilhoso Deus, mesmo que isso demore mais do que desejaria.

O desafio de um dia

Se tudo isso lhe parecer muito difícil neste momento, assuma o "desafio da entrega de um dia". Decida entregar algo, com fervor e vontade, que exerça certo poder sobre você — qualquer coisa, desde café até TV ou telefone! — por 24 horas. Espere e registre as bênçãos que afetar seus relacionamentos, seu nível de energia ou outras áreas, como, por exemplo, seu comportamento.

LIVROS RECOMENDADOS SOBRE SALVAÇÃO E ENTREGA

Em defesa de Cristo, de Lee Strobel[8]
The Sacred Romance [O romance sagrado],
de Brent Curtis e John Eldredge[9]

ESTÁ NA HORA DE ENTREGAR TUDO

Está pronta para dar esse passo na direção de Deus e do propósito que ele criou para sua vida: *oferecer sua vida diariamente a*

Deus como sacrifício vivo? Se você não oferecer o controle da sua vida a Jesus Cristo, certamente se entregará à desesperança. Existe um meio mais evidente de se dizer isso? Porque quando se trata de uma entrega, ou servimos a Deus, ou ao Diabo.

A vida, um sacrifício vivo a Deus, é algo magnífico e poderoso. Oro para que você siga o conselho de Romanos 12 sobre a auto-entrega como um sacrifício vivo, santo e agradável a Deus, como "o culto racional de vocês".[10] Na minha infância, tive o privilégio de ver meus pais oferecerem todas as suas posses e todos os aspectos de sua vida a Deus. Independentemente das conseqüências de entregarem algo ao controle divino e por mais impossíveis que as circunstâncias parecessem, eles se ofereceram a Deus e acreditaram em seus cuidados. Sua fé e sua entrega foram atos de verdadeira adoração.

Quando minha mãe morreu em 1996, tive um sonho vívido de seu primeiro dia no céu. Desejo compartilhá-lo com você. Ela se curvava diante de Deus, nosso Senhor, que estava sentado em um trono, alto e exaltado. Seu manto enchia todo o templo. Minha mãe escondia o rosto nos braços para proteger os olhos da luz ofuscante da presença de Deus. Ela estava tão estupefata com a beleza de Deus, e tão entregue a ele, que tudo o que conseguia fazer era sussurrar repetidamente: "Santo, santo, santo".[11]

Posso presentear-lhe com uma bênção para a sua oferta? Oro para que você seja "vaso para honra, santificado, útil para o Senhor e preparado para toda boa obra".[12] Que o resto da sua vida seja uma prova da oferta que fará hoje, na próxima semana e no próximo mês.

A SABEDORIA DE DEUS PARA A CAMINHADA

O EXEMPLO DE VIDA DE MARIA, MÃE DE JESUS:
OFERECER SUA VIDA DIARIAMENTE A DEUS

Para aprender a lição de Maria, mãe de Jesus, leia Lucas 1.26-38. A vida de Maria foi completamente transformada no dia em que o anjo apareceu com a notícia de que ela seria mãe do Salvador do mundo. Quando Maria disse "sim" ao anjo, concordava em deixar o Espírito Santo usá-la para a glória de Deus. Você sabia que ela podia ter sido apedrejada até a morte por ter engravidado sem se casar? Se Deus pedisse a você, em vez de a Maria, que oferecesse todos os seus planos e sonhos de uma vida confortável, e corresse o risco de ser apedrejada até a morte, ou de sofrer qualquer outra terrível execução, o que você diria?

Pergunte-se a si mesma: "O que estou me recusando a oferecer a Deus hoje?" e depois ore para dedicar isso ao Todo-poderoso.

QUESTÕES PESSOAIS DA CAMINHADA

1. Descreva uma das ofertas que você já fez em relação a uma pessoa, um lugar, uma coisa, uma emoção ou um problema. O que você aprendeu sobre Deus e sobre si mesma?

2. O que Deus a está induzindo a fazer sobre sua entrega a ele: buscar a verdade, fazer sua parte e o dever de casa, avaliar o custo, pensar com a mente de Cristo, renunciar publicamente ao controle de sua vida ou começar fervorosamente? Por quê?

3. Como você completaria a frase a seguir e por quê? *Estou pronta a oferecer as partes boas e ruins de minha vida a Deus, até mesmo meu(s)/minha(s)* _____. (Casa, carro, carreira, ministério, família, filhos, passado, presente, futuro, sonhos, finanças, vícios, medos, preocupações, pecados, *hobbies,* projetos, fama,

posses, poder, reputação, crescimento espiritual, trabalho comunitário, amigos, pecados ocultos, estudo.)

Quer você ofereça algo hoje quer não, se desejar, faça a oração:

Senhor, por favor, conduz-me. Tu sabes o quanto _____ é(são) importante(s) para mim. Ajuda-me a confiar em ti e a obedecer ao Senhor a cada dia, hora e minuto da minha vida.

NOTAS

[1] Trecho do sermão "Path to Personal Peace" ministrado em 16 de maio de 1999 na Igreja Saddleback, Lake Forest, Califórnia. Reprodução autorizada.
[2] Habacuque 3.10, ARC.
[3] Gálatas 5.22,23.
[4] WARREN, Kay. "How to Keep the Ministry From Killing You", discurso proferido em uma conferência de crescimento em maio de 1997 na Igreja Saddleback, Lake Forest, Califórnia. Reprodução autorizada.
[5] Habacuque 3.17-19.
[6] Lucas 14.33.
[7] Romanos 12.2.
[8] STROBEL, Lee. *The Case for Christ*. Grand Rapids: Zondervan, 1998 [*Em defesa de Cristo*, Editora Vida, 2002].
[9] CURTIS, Brent & ELDREDGE, John. *The Sacred Romance*, texto e livro de exercícios. Nashville: Thomas Nelson, 1997.
[10] Romanos 12.1.
[11] V. Isaías 6.1-3.
[12] 2Timóteo 2.21.

Parte VI

Mostre *o caminho aos* outros

O propósito divino da *evangelização* para você:
completar a missão que ele tem para sua vida

Capítulo 11

CONTEMPLE A VISÃO DE DEUS

> *Aquele que forma os montes, cria o vento e revela os seus pensamentos ao homem, aquele que transforma a alvorada em trevas, e pisa as montanhas da terra; SENHOR, Deus dos Exércitos, é o seu nome*
> (AMÓS 4.13).

Parece que espero há uma eternidade o momento de poder compartilhar o próximo passo com você. Acredito que não faça mal esperar mais alguns minutos, para podermos recapitular rapidamente toda a distância que percorremos até aqui desde a última vez em que olhamos para trás, no capítulo 5. Até ali, tínhamos esquecido o passado, seguido em frente, nos concentrado no dia de hoje e amado os outros. Desde então, buscamos a paz, nos arrependemos, lavamos alguns pés, nos tornamos íntegras, esperamos os desejos do nosso coração e nos entregamos a Deus. Nossa! Creio que merecemos uma medalha por termos chegado até aqui!

Mas você se lembra da infame "barreira" da história da maratona no capítulo 1? Pois é, chegamos a ela. Então, vamos jogar um pouco de água no rosto, nos animar mutuamente, e depois dar o arranque final para cruzar a linha de chegada juntas. Teremos bastante tempo, depois disso, para cair na grama e rir de alegria!

A próxima etapa — *contemplar ansiosamente a visão que o Deus todo-poderoso revelará a você* — é a minha favorita na caminhada com propósitos. Sinto-me animada com esta etapa porque toda mulher tem um propósito único, pessoal e importante na vida, e Deus deseja revelar-lhe o que ele pensa sobre isso. É emocionante quando a mulher consegue contemplar a visão de Deus e começa a viver conscientemente o propósito que ele ordenou.

Corta-me o coração pensar que muitas mulheres nunca chegam a pisar nessa pedra, muito menos a ultrapassá-la. Elas chegam muito perto de receber uma revelação de Deus sobre seu propósito — a *mais* importante contribuição que lhes é conferida por Deus, para, por meio dela, poderem influenciar incontáveis pessoas —, mas decidem parar aqui. Embora Deus grave seus nomes nessa pedra, algumas parecem não conseguir reconhecê-lo. Talvez, ao chegarem aqui, desistam de descobrir o propósito que Deus tem em mente para elas ou fiquem com receio do que lhes será exigido.

Só um seleto grupo de mulheres tem coragem suficiente para se preparar para receber a visão, pedir a Deus que a revele, admitir quando a recebe, buscar aconselhamento em meio à confusão ou para pôr mãos à obra depois de receber as instruções. Por quê? Porque, depois da visão, em vez de dar pequenos passos de obediência fiel, daremos saltos quânticos de obediência, o que pode ser assustador. Meu objetivo, portanto, é não apenas o de prepará-la para ouvir as idéias de Deus sobre essa pedra em geral, mas também o de ajudá-la a se tornar receptiva à revelação e ao cumprimento da visão. Assim, você poderá chegar à outra margem do rio e começar a viver o propósito divino.

Deus revelará sua visão!

Lembra-se da famosa série de TV e do filme *Missão impossível*? O enredo retratava a história de agentes secretos que realizavam feitos espetaculares para salvar o mundo. Gosto demais da frase que antecede cada missão: "Sua missão, caso decida aceitá-la, é...".

Não seria ótimo se Deus lhe enviasse uma mensagem de áudio, gravada ou por telefone, com a pergunta: "Esta é sua missão pelo resto da vida. Você me honrará decidindo aceitá-la?".

Posso garantir que Deus não falará com você em voz alta, mas transmitirá sua mensagem. Essa é a incrível notícia que o profeta Amós proclama quando afirma que Deus "revela os seus pensamentos". Foi isso que Daniel explicou ao rei Nabucodonosor quando disse que há um Deus nos céus que revela os segredos.[1] Nosso Deus, o Deus de Amós e de Daniel, quer que você confie em que ele revelará seus pensamentos sobre seu propósito. Ele não apenas tem uma visão para sua vida, mas também, no momento oportuno, ele a revelará. Nessa hora, será tão claro quanto o foi com profetas como Samuel e Isaías, quando os escolheu para transmitir suas mensagens.[2] Portanto, é melhor entender que tipo de visão podemos esperar dele.

Visão é a consciência de como Deus deseja usar você audaciosamente para realizar seus propósitos. Consiste em conhecer o destino insuflado por Deus em sua vida e descobrir a tarefa monumental e humanamente impossível que ele reservou para você. A visão consiste em contemplar sua estratégia de vida multidimensional — o tipo de pessoa em que ele almeja que você se transforme e o que ele quer que você faça para ele.

A principal visão de Deus está claramente revelada na Bíblia. Basicamente, devemos amar a Deus e a nossos semelhantes[3], ir e fazer discípulos.[4] Essa visão amplamente divulgada é o fundamento para se ter uma vida com propósitos. Mas a visão de Deus não termina aí. Ele também revela a atribuição individual e específica que conferiu a cada uma de nós em relação a essa visão maior.

A visão única de Deus para você pode ser descrita como um desejo que arrebata seu coração — imediata ou casualmente — e grita: "Este é seu mandamento sagrado, além dos propósitos diários de sua vida". É a obra exclusiva e cativante que Deus preparou para você antes mesmo de seu nascimento. Agora depende unicamente de você administrá-la com excelência aos olhos do Senhor.

Quando receber essa visão, você terá uma oportunidade tão interessante, que não a deixará escapar. Vai se sentir compelida a partilhar suas intenções com as pessoas. É tão inspirador e difícil, que você terá de se unir às pessoas ao seu redor e mobilizá-las pelo exemplo. As pessoas estão ávidas para seguir alguém com visão. Portanto, enquanto Deus não lhes revelar a visão que tem para elas, talvez seja seu desejo recrutá-las e formar um exército de pessoas de Deus que a ajude a atingir a meta que ele lhe deu.

Ao discernir a visão de Deus para sua vida, talvez você fique assustada porque seu cumprimento requer fé, esperança e amor. Aceitar a visão de Deus e realizar o propósito que ele tem é como assinar um contrato de serviço para trabalhar somente para ele durante todo o tempo, por mais difícil que isso seja. E, acredite, é difícil. O propósito de Deus vai custar sua vida no sentido de que você deverá abdicar do seu ser e aceitar o plano dele. Além disso, será consumida e usada pelo serviço a Deus. Você se consumirá tanto, que, sem ele, fracassará.

Assim que começar a ser praticada, a visão se transformará em uma corrente elétrica que iluminará toda a escuridão. É a sua maneira pessoal de fazer as pessoas abandonarem o vazio e ganharem sentido em Cristo. Como é maravilhoso almejar a visão de Deus!

Ansiosa para receber a visão?

Ao prever ansiosamente que o Deus todo-poderoso nos revelará sua visão, damos um grande passo esperançoso na caminhada com propósitos. Simplesmente imagine o impacto da idéia de que Deus revelará seus pensamentos para você.

Os pensamentos que ele lhe revelar e a visão para o propósito de sua vida fortalecerão sua fé porque você terá de confiar que ele lhe mostrará muito mais do que é possível ver agora. Essa visão vai inspirá-la quando tentar transformar seus sonhos e idéias em planejamento estratégico. Ela lhe dará discernimento para tomar decisões e clareza para traçar suas metas e seus objetivos. Ela a incentivará nos momentos difíceis e a ajudará a organizar seu novo empreendimento em torno das prioridades de Deus, que é o processo de gestão de tempo mais bem concebido que existe.

A dádiva mais generosa de Deus nesta etapa, porém, reside no fato de ele, o Rei dos reis, preocupar-se o bastante para lhe revelar quem ele é e como você pode servi-lo aqui. É um grande privilégio para uma simples mortal poder falar com Deus! Nesta etapa, sua caminhada com propósitos será um convite para que Deus compartilhe cada vez mais seus grandes planos com você.

Mas, ao contemplar a visão de Deus, você também pode ficar em dúvida e começar a se perguntar: "E se...?". Parece familiar? *E se eu estiver fazendo alguma coisa errada que impeça Deus de falar comigo? E se Deus já houver revelado sua visão e eu não percebi? E se eu ouvir os pensamentos de Deus, mas não quiser fazer o que ele me mandar?*

São preocupações válidas que podem apavorá-la a ponto de deixá-la paralisada. Se essas ou outras questões semelhantes a estão incomodando, faça um grande favor a si mesma: recomece. Deixe o passado, com suas dúvidas e seus fracassos, para trás e considere hoje o primeiro dia do resto de sua vida com Deus. Assim, ganhará uma nova perspectiva quando Deus lhe der outra chance de ouvir os grandes planos que tem para você.

Nesta etapa, sua tarefa é a de não se preocupar com a revelação da visão de Deus, a de honrar o compromisso de seguir suas instruções: "Ouvi-me atentamente"[5] e "Inclinai os vossos ouvidos, e vinde a mim".[6] Se você ouvir fielmente a Deus, ele aliviará suas preocupações, ajudará você a superar sua teimosia e a guiará para que corrija o que for necessário a fim de se preparar. Ele está com você neste momento, ajudando-a a assimilar as aplicações práticas deste livro.

IMPLORANDO POR UMA VISÃO

Eu estava tão ansiosa para obter a visão de Deus, que passei anos implorando por ela. Sempre perguntava às minhas amigas — Dianne, Elaine e Diana — se haviam descoberto o propósito de Deus para elas ou se tinham alguma idéia do que Deus queria para mim. Levava a vida tão a sério e estava tão desesperada para receber essa visão, que não conseguia falar sobre qualquer outro assunto não relacionado a esse. Embora Deus certamente crie amigos para momentos intensos de conversa, atenção, afeto, autoanálise e compaixão, minha sede da visão de Deus era tão grande, que perdi um pouco da alegria de simplesmente estar com essas amigas e desfrutar sua companhia.

Você conhece algumas atitudes extremas que tomei na busca do grande propósito da minha vida. O que você não sabe é o quanto minha impaciência para ter a visão desse propósito dominou minha rotina diária, até na música que ouvia. Durante certo período, quase diariamente, ouvia as canções: *Dream the Impossible Dream* [*Sonho impossível*], *When You Wish Upon a Star* [*Se uma estrela aparecer*] ou *Somewhere Over the Rainbow* [*Além do arco-íris*]! E... nada da visão.

> *Quando não sabemos "como" Deus quer que empreguemos nossa visão, devemos orar e esperar pacientemente. Ele usará esse tempo para nos equipar e nos preparar com tudo o que será necessário para cumprir essa visão com êxito. Conforme sua vontade, isso pode significar até quarenta anos, como no caso de Moisés. Ponha em prática o que já aprendeu e ore pelo que ainda precisa descobrir.*[7]
> PATRICK MORLEY

Finalmente, para minha surpresa, aprendi que não faz sentido implorar uma visão. Cabe a Deus revelá-la, coisa que fará quando bem entender. Ter pressa em receber a visão é o mesmo que tentar atropelar Deus. É a atitude arrogante de querer impor a própria vontade em vez de aguardar fielmente a clara instrução de Deus. A impaciência jamais acelerará seu plano. Simplesmente não podemos exigir uma visão.

A ESPERA COMPENSA

Quando Cathy, uma amiga que está na terceira idade, era jovem, pensava ser perda de tempo esperar Deus para executar um sonho. Agora, depois de oito anos no longo processo de revelação do plano de Deus, ela chegou a uma incrível conclusão. Reconhece que todo o tempo de espera para Deus revelar sua visão e mobilizá-la era uma etapa de preparação essencial. A demora evidenciou os problemas de caráter que ela precisava resolver, serviu para que conhecesse muitos tipos de pessoas e aprendesse diversas habilidades. Mas, acima de tudo, mostrou-lhe o valor de confiar na sabedoria e no julgamento de Deus.

Se você se sente impaciente como Cathy e eu nos sentimos por causa de um longo silêncio de Deus em relação a sua visão, tenho várias sugestões para lhe dar. Primeiro, confesse e arrependa-se por sua impaciência. Segundo, procure agradecer a Deus a sabedoria revelada ao lhe ensinar a esperar o momento oportuno de acordo com seu juízo. E, em terceiro lugar, preste atenção no que Deus está fazendo em sua vida *hoje*.

Vamos explorar melhor essa terceira sugestão. Lembra-se da etapa sugerida no capítulo 3 — fazer hoje aquilo para que Deus a trouxe ao mundo? Naquele capí-

> *Porque, quando a perseverança de vocês estiver afinal plenamente crescida, vocês estarão preparados para qualquer coisa, e serão fortes de caráter, íntegros e perfeitos*
> (TIAGO 1.4b, BV).

tulo, vimos o quanto nossas funções diárias são importantes para Deus. Ele não desperdiça nenhuma parte de uma vida dedicada aos seus propósitos. Embora nem sempre ele insista em que a visão seja precedida pela fidelidade aos nossos propósitos diários, estes podem nos preparar para recebê-la. O que Deus está fazendo na sua vida hoje pode servir de amparo e preparação para a visão que ele lhe revelará amanhã.

Considere, por um momento, suas atividades e seus propósitos diários. Sugiro alguns no quadro "Propósitos diários", que é dado a seguir. Se desejar, acrescente seus exemplos específicos à lista.

Se você comparar os "Propósitos diários" com a "Visão suprema de Deus", verá uma progressão natural de eficiência no serviço santo que presta ao Senhor. Observe que, embora os propósitos diários exijam um alto nível de compromisso pessoal de obediência a Deus, a visão também requer a obrigação interpessoal de levar outros a obedecer a ele. A visão direciona você a um único propósito de vida de magnitude muito maior.

Propósitos diários	Visão suprema de Deus
Servir um ou muitos	Servir alguns ou multidões
Trabalhar sozinha ou acompanhada	Convidar outras pessoas para participar
Esperar uma atribuição difícil	Esperar a intervenção de Deus para realizar uma atribuição impossível
Manter o compromisso	Entregar-se completamente; não desistir
Orar: "Usa-me, Deus!"	Orar com coragem: "Usa-me completamente, Deus!"
Trabalhar com segurança e certeza	Arriscar tudo; sem limites
Fazer sentido para você e para os outros	Parecer tola aos olhos do mundo
Cuidar das tarefas diárias como cristã	Cuidar do seu propósito único na vida, plena dos frutos do Espírito: amor, alegria, paz, paciência e assim por diante

Devo admitir que é genial a maneira com que Deus nos prepara para ouvir seus pensamentos ao longo de anos de serviço, em nossas funções diárias, em vez de nos deixar apavoradas anunciando, inesperadamente, uma visão completa. Mais importante que isso: você notou que uma visão de magnitude divina não permite que experimentemos nenhuma espécie de vaidade? Pelo contrário, a visão de Deus, concedida conforme seus desígnios, no momento oportuno e segundo seu critério, coloca-nos de joelhos, humildes.

A VISÃO REQUER UMA AÇÃO

Independentemente de como e de quando você receber a visão de Deus, a melhor resposta ao conceito é a entrega completa seguida da ação. Muitas mulheres cristãs oferecem sua vida e recebem a visão, mas ficam estáticas, inativas, na hora de aceitar o chamado de Deus para elas. Como no filme *Indiana Jones e a última cruzada*, ficam imóveis diante do "salto de fé" sobre o abismo, esperando desesperadas por uma prova de passagem segura, enquanto Deus as aguarda do outro lado, para que confiem nele.

Quando penso em inércia, lembro-me de Donna, uma cristã devota, que tomou consciência da visão que Deus tinha para ela durante um retiro espiritual. Ela entrou em pânico diante de sua magnitude e suplicou: "Eis-me aqui, Senhor, mas envia Alicia, e não a mim!" (sua versão de Isaías 6.8!). Mais tarde, Donna tentou uma tática diferente: "Senhor, não me envie para *lá*. Irei aonde me mandares, menos para *lá*".

Você já fez súplicas semelhantes, mesmo sabendo que resposta Deus esperava ouvir de seus lábios? Eu já fiz! Sempre que quisermos suplicar algo assim, precisamos nos lembrar das palavras de Jesus: "Por que vocês me chamam 'Senhor, Senhor' e não fazem o que eu digo?'".[8]

Lembre-se de que Deus exerce um papel fundamental na revelação do seu plano. É claro que a visão será assustadora; deve ser maior que a vida, mais complexa, mais ampla, mais difícil, além de nossa capacidade. Quando Moisés recebeu a visão de Deus, não se julgou um líder tão capaz como Deus havia pensado. Mas Deus garantiu que ele era o homem certo para aquela tarefa e o confortou dizendo: "Certamente eu serei contigo".[9] É preciso entender que Deus dá também a *você* a mesma certeza de sua presença durante a realização da obra que tem para sua vida.

> *De repente, o Espírito emergirá nas vidas das pessoas comuns que ouvem e atendem ao chamado de maneiras extraordinárias.*[10]
> ANN PETRIE,
> PRODUTORA E DIRETORA DE CINEMA

Deus não está à procura de uma *superstar* à qual possa revelar uma visão. Ele procura uma mulher em quem possa incutir um método amoroso de viver e de compartilhar o evangelho. Ele procura mulheres comuns e dedicadas que acreditem tanto no propósito único de suas vidas, que sejam capazes de perseverar obstinadamente mesmo na provação.

PESSOAS COMUNS DA BÍBLIA QUE RECEBERAM VISÕES EXTRAORDINÁRIAS DE DEUS

A Bíblia está repleta de exemplos de pessoas comuns que receberam visões extraordinárias de Deus. Veja minha paráfrase da visão que cada uma delas recebeu.

Noé, construa uma arca.[11]
Abraão, vá para a terra que eu lhe mostrarei.[12]
Sara, você será mãe de nações; reis de povos sairão de você.[13]
José, você reinará sobre os outros.[14]
Moisés, vá ao Faraó e exija dele a permissão para tirar meu povo do Egito.[15]
Josué, prepare-se para atravessar o rio Jordão.[16]

Débora, vá para a batalha; você será vitoriosa.[17]
Gideão, vá com a força que você tem e salve Israel.[18]
Ester, salva o teu povo.[19]
Jeremias, vá a todos a quem eu o enviar e diga tudo o que eu lhe ordenar.[20]
Jonas, vá à grande cidade de Nínive e clame contra ela.[21]
Simão e André, sigam-me.[22]
João Batista, prepare o caminho para mim.[23]
Maria, você ficará grávida e dará à luz um filho, e lhe porá o nome de Jesus.[24]
Pedro, alimente meus cordeiros.[25]

QUANDO FOR O MOMENTO, DEUS LHE REVELARÁ A VISÃO!

Quero relatar a forma bondosa, persistente e inconfundível com que Deus revelou sua visão para minha vida. Em 1988, comecei a imaginar que a visão de Deus para mim tinha algo relacionado com plantio e cultivo. Passei anos sem saber o que significava aquela idéia vaga e incompleta que insistia em vir à minha mente. Então, de repente, em um dia ensolarado de 1991, senti um desejo enorme de plantar *alguma coisa* que, mais tarde, se tornasse bela e útil. Não fazia a menor idéia se Deus estava convidando-me a plantar orquídeas, soja, cactos ou árvores! Sabia apenas que queria transformar aquele sentimento — o de ter ganhado uma idéia vaga, mas esplêndida — em realidade. O mais estranho é que queria aquilo mais do que tudo no mundo (exceto meu crescimento espiritual, a segurança e a saúde de meus dois filhos).

Pensei que o processo de plantar alguma coisa me deixaria exultante, mas, na época, isso era tudo o que minha capacidade me permitia compreender sobre os pormenores. Tinha certeza de que algo estava sendo formado no meu coração, mas não tinha uma imagem clara do que fosse. Nunca tive controle sobre isso e certamente não podia falar a respeito do assunto porque tinha receio de que as pessoas me julgassem louca.

Não sabia como processar os pensamentos sobre sementes, flores, frutas e plantio que me vinham à mente. Naquele tempo, não conhecia as centenas de versículos bíblicos que, mais tarde, Deus me faria estudar, pois eles falam de jardins, sementes, vinhedos, campos, colheita, arado, poda, estações, germinação, florescimento e frutificação. Comecei a especular se as imagens de sementes, plantações e crescimento tinham um significado literal como: "Vá à floricultura comprar uma flor", "Envolva-se com horticultura", ou "Case-se com um agricultor"! Imagine o quanto eu estava desnorteada.

E foi só em 1994, seis anos depois de as idéias começarem a se formar, que Deus me ofereceu uma visão clara. Durante todo esse tempo, ele pôs em minha alma imagens e impressões distintas de seus planos para meu futuro. Por fim, chegara a hora de ele me revelar o propósito que graciosamente arrebataria meu coração para sempre. Finalmente, pude identificar a paixão ardente que existia dentro de mim. Era o propósito da minha vida, a busca que por anos me deixara louca. A obra, agora óbvia, que Deus me atribuíra era: ajudar mulheres em seu desenvolvimento cristão, levando-as a ser aquilo que Deus planejara e ajudando-as a florescerem nele, a fim de glorificá-lo!

Mas como poderia fazer isso? Bem, as respostas apareceriam à medida que eu precisasse. Agora, sei que devo ajudar as mulheres a entenderem etapas como paz, amor e oferta, que as conduzirão na caminhada com propósitos. É quase como se Deus tivesse criado uma trilha de pedras, colocando uma a uma no meu caminho como teste. Agora cumpro a visão de Deus para minha vida mostrando às mulheres o caminho para Jesus, sua magnificência e seus propósitos.

Não me pergunte por que Deus me deu essa visão em particular. Para mim, é um propósito fascinante que valorizo imensamente e enche meu coração de alegria. Receber a visão de Deus é receber o presente perfeito para você na manhã de Natal — talvez, um *poodle* pequeno — e o presente perfeito para mim — um quebra-cabeça multicolorido de mil peças. Se você não pedir que eu beije seu *poodle*, não lhe pedirei que resolva meu quebra-cabeça! Deus dá a cada uma de nós algo que nos faz felizes no ministério. E, se precisarmos, ele nos cercará de pessoas com opiniões semelhantes para nos ajudar a realizar o propósito único que reservou para nós na Terra.

Passei por um processo — tortuoso, maçante e triste — de insegurança, constante oração, incansável perseverança, provando as águas do serviço em muitas áreas, andando pelo mundo para conversar com pessoas famosas, abrindo meu coração a estranhos e aos amigos. Pesquisei durante anos, até que Deus me revelasse mais claramente qual era o seu propósito para mim no futuro. Ele não me fez essa revelação nem um milissegundo antes, nem depois. Tenho certeza de que não facilitou nada para mim para que, depois, me sentisse apaixonadamente motivada a encorajar outras mulheres que fossem escolhidas para passar por esse interminável processo.

Epifania

Os magos, os sábios do Oriente, reconheceram a manifestação da natureza divina de Cristo quando lhe trouxeram presentes dignos de um rei. É um dos momentos na Bíblia em que se menciona uma *epifania*, um momento em que Deus se revela claramente. É a famosa história do Natal:

> Depois deste encontro os sábios puseram-se a caminhar outra vez. Então a estrela apareceu-lhes novamente, sobre Belém. E vendo a estrela, a alegria deles foi enorme!
> Entrando na casa onde estavam o menino e Maria, sua mãe, eles se ajoelharam diante dele, para adorar. Então abriram seus presentes e lhe deram ouro, incenso e mirra.[26]

E se Deus produzisse uma epifania em sua vida hoje? E se ele lhe revelasse mais sobre seu caráter e seus caminhos? E se demonstrasse claramente quem ele é e como pode ser honrado com sua vida? E se lhe explicasse por que a criou e qual o grande propósito que sempre teve para você? E se lhe revelasse que presentes você dará a Jesus e, em troca, o que ele lhe dará e concederá a seu povo por seu intermédio? Tenho certeza de que você se dobraria diante do Rei e o exaltaria ainda mais. Ficaria extremamente feliz. Seria um momento de grande celebração.

Se ainda não recebeu a visão de Deus, é importante que se prepare e espere uma epifania. Talvez tenha um vislumbre, uma série de impressões como eu tive, durante seis anos, sobre cultivo. Talvez a visão seja antecedida por um pequeno aviso. Seja como for, Jesus Cristo deseja manifestar-se em sua vida. Ele quer mostrar quem ele é e o que deseja que lhe aconteça. Na hora mais oportuna para você, e para as pessoas enviadas por ele para receber seu auxílio, ele a convidará para uma epifania. Enquanto isso, continue a dar um passo de cada vez na caminhada com propósitos.

Embora deseje que nos preparemos para receber a visão, Deus poderá enviá-la a qualquer momento, mesmo que não tenhamos pedido por ela e que os outros pensem que não estamos prontas para recebê-la. Às vezes, ele interrompe nossa vida e age de forma inesperada, como fez com Saulo, que depois se tornou o missionário Paulo. Considere a conversão e a epifania resplandecente de Saulo descritas em Atos:

> Todos caímos por terra. Então ouvi uma voz que me dizia em aramaico: "Saulo, Saulo, por que você está me perseguindo? [...]".
> Então perguntei: Quem és tu, Senhor?
> Respondeu o Senhor: "Sou Jesus, a quem você está perseguindo. Agora, levante-se, fique em pé. Eu lhe apareci para constituí-lo servo e testemunha do que você viu a meu respeito

e do que lhe mostrarei. Eu [...] o envio para abrir-lhes os olhos [...] a fim de que recebam o perdão dos pecados ...".
Assim, [...] não fui desobediente à visão celestial.[27]

A maioria de nós não recebe uma visão tão comovente e ofuscante quanto a de Saulo. Vivemos, porém, um rápido vislumbre da instrução de Deus para nossa vida, como uma história de criança, um desejo adolescente ou um anseio apaixonante. Preste atenção a toda e qualquer idéia que for "plantada" em sua mente ou esteja atenta a uma carreira ou a um ministério pelo qual já demonstre grande interesse. Fique atenta e aberta especialmente às impressões que obtiver por meio da oração, da leitura da Bíblia, de seu diário espiritual, de professores cristãos, mentores e modelos de conduta. Essa pode ser a forma que Deus escolheu para revelar seus pensamentos.

Guia de viagem para receber a visão de Deus

As sugestões descritas a seguir irão ajudá-la a se preparar para ouvir os pensamentos de Deus e a receber sua visão. Continue pacientemente a praticá-las tanto quanto for necessário.

Ore

O melhor que tem a fazer ao contemplar a revelação de Deus sobre a visão da sua vida é orar. Ore para que ouça Deus e viva em dependência em suas mãos. Enquanto espera, pergunte a que etapas deveria retomar para se preparar melhor antes de receber a visão que Deus tem para você. Ore também pelo perfeito juízo de Deus sobre o momento oportuno, para que ele prepare os corações das pessoas que enviará para receberem seu auxílio. Você também pode beneficiar-se com outro livro desta série: *Oração com propósitos para mulheres.**

*No prelo por Editora Vida [N. do E.].

Peça que outros orem

Cerque-se de pessoas amáveis e confortadoras que orem com você sobre a visão de Deus para sua vida. Peça que orem especificamente para que permaneça receptiva à vontade de Deus.

Seja confiante

Ser confiante significa "ter fé". Nesta etapa, você precisará da fé que move montanhas e que libera o poder de Deus. Precisa crer que Deus projetará a visão que sempre teve para você! Fale com ele sobre nutrir sua fé para que essa visão se torne clara.

Exercite a paciência

Aprenda a esperar graciosamente em todas as suas atividades diárias, inclusive na fila do banco ou do supermercado. Exercite a paciência, praticando atividades que requeiram essa virtude, como empinar pipa ou cultivar um jardim. Além disso, pare para cantar, brincar e relaxar, para aprender a ter mais calma e a aproveitar a viagem.

Peça que Deus fale com você especificamente

Para ter certeza de que você deseja que Deus lhe fale, faça duas perguntas muito importantes: *Quero e espero, realmente, que Deus fale comigo? Estou realmente prestando atenção?* Se a resposta para as duas perguntas for sim, você está pronta para repetir a oração de Samuel: "Fala, pois o teu servo está ouvindo".[28]

LIVROS RECOMENDADOS SOBRE A VISÃO DE DEUS

Conhecendo Deus e fazendo sua vontade, de Henry T. Blackaby e Claude V. King[29]
Living the Life you Were Meant to Live [Viver a vida para a qual você foi destinado], de Tom Paterson[30]

ESTÁ NA HORA DE CONHECER A GRANDE VISÃO
DE DEUS PARA SUA VIDA

O escritor do livro de Provérbios é claro ao afirmar: "Onde não há revelação divina, o povo se desvia...".[31] Reconhecendo esse fato básico do comportamento humano, algumas empresas criaram o cargo de vice-presidente de "Acesso à visão". O engraçado é que, aos olhos de Deus, todas as pessoas são vice-presidentes, porque ele quer que tenhamos acesso à visão que criou para nossa vida!

Responda: está pronta para dar esse passo na sua vida: *contemplar ansiosamente a visão que o Senhor, nosso Deus todo-poderoso, revelará a você?* Nosso doce Salvador espera que toda mulher cristã, e não apenas algumas delas, aceite a visão que ele criou para ela com todo o amor. Você está disposta a aceitar a visão, seja ela qual for, que Deus preparou e que lhe revelará? É capaz de agradecer a Deus antes, durante e depois da revelação?

Se você ainda não recebeu a visão de Deus, se ainda não ouviu suas instruções exatas, não se atreva a desistir! Deus atua no ministério das visões desde o começo dos tempos e não desistirá agora. Não tenha receio de pedir acesso à visão divina. No momento oportuno, ele lhe revelará mais sobre quem ele é e que obra reservou para você.

Quando o tão esperado dia da epifania chegar, quando Deus lhe apresentar a visão, regozije-se! Se tiver vontade, caia de joelhos e ore:

> *Amado Senhor, guarda-me perto de ti. Amo-te e não posso começar a realizar esta visão longe de ti. Dá-me inspiração, discernimento, humildade, sabedoria, verdade, conhecimento, entendimento, paciência, energia, humor, instrução, respostas, meios, habilidade, sensibilidade, esclarecimento, santidade e amor. Não me abandones, nem mesmo por um segundo. Obrigada por compartilhar teus pensamentos comigo. Obrigada por me revelar a visão do propósito da minha vida. Amém.*

A SABEDORIA DE DEUS PARA A CAMINHADA

O EXEMPLO DE VIDA DE DÉBORA: CONTEMPLAR ANSIOSAMENTE A VISÃO QUE O DEUS TODO-PODEROSO REVELARÁ A VOCÊ

Para aprender, nesta etapa da vida, a lição de Débora, profetisa e juíza, leia sua história em Juízes 4, e O Cântico de Débora, em Juízes 5. Débora foi a única juíza de Israel e ficou conhecida por sua sabedoria.

Jabim, rei de Canaã, e Sísera, comandante do exército do rei, aterrorizaram Israel durante 20 anos. Débora mandou chamar Baraque, seu compatriota, em nome de Jeová, e informou-lhe que Deus entregaria o inimigo em suas mãos. Baraque concordou em ir com a condição de que Débora fosse com ele. Ela foi e o inimigo sofreu uma derrota esmagadora. Espere que Deus lhe dê uma clara visão, como o fez com Débora.

QUESTÕES PESSOAIS DA CAMINHADA

Sem analisar sua resposta, descreva rapidamente em seu diário espiritual *qual você gostaria que fosse* a visão de Deus para você.

Se não puder responder a essa questão agora, não se preocupe. Como já viu pela leitura deste livro, ainda há muito esclarecimento pelo caminho. Revise suas respostas às perguntas no fim de cada capítulo, para poder determinar qual será seu próximo passo. Confie em mim quando digo que a obra intencional que realiza agora lhe mostrará a resposta. Além disso, não se esqueça de descansar no Senhor, orar e crer que Deus revelará seu plano a você.

Notas

[1] V. Daniel 2.28, ARC.
[2] V. 1Samuel 3.1-18; Isaías 6.1-13.
[3] V. Marcos 12.30,31.
[4] V. Mateus 28.18-20.
[5] Isaías 55.2, AEC.
[6] Isaías 55.3, AEC.
[7] MORLEY, Patrick M. *Seven Seasons of a Man's Life*. Nashville: Thomas Nelson, 1995, p. 229 [**Desafios da vida de um homem**, Mundo Cristão, 1997]. Tradução livre.
[8] Lucas 6.46.
[9] Êxodo 3.12, ARC.
[10] Palavras de Ann Petrie usadas no filme *Mother Teresa*. Tradução livre.
[11] V. Gênesis 6.12-14.
[12] V. Gênesis 12.1-3.
[13] V. Gênesis 17.15,16.
[14] V. Gênesis 37.1-11.
[15] V. Êxodo 3.10.
[16] V. Josué 1.1,2.
[17] V. Juízes 4.1-14.
[18] V. Juízes 6.12-16.
[19] V. Ester 4.14.
[20] V. Jeremias 1.4-8.
[21] V. Jonas 1.1,2.
[22] V. Marcos 1.16,17.
[23] V. Lucas 1.13-17.
[24] V. Lucas 1.26-33.
[25] V. João 21.15.
[26] Mateus 2.9-11, BV.
[27] Atos 26.14-19.
[28] 1Samuel 3.10.
[29] BLACKABY, Henry e KING, Claude. *Experiencing God: Knowing and Doing the Will of God* (livro de exercícios). Nashville: Lifeway, 1990 [**Conhecendo Deus e fazendo sua vontade, LifeWay Brasil, 2001**].
[30] PATERSON, Tom. *Living the Life You Were Meant to Live*. Nashville, Thomas Nelson, 1998.
[31] Provérbios 29.18.

Capítulo 12

TENHA CORAGEM

> *Mas Jesus imediatamente lhes disse: "Coragem!*
> *Sou eu. Não tenham medo!"*
> (Mateus 14.27).

Enquanto prosseguimos na caminhada com propósitos, algumas mulheres rirão diante da próxima etapa: *tomar coragem*. Não dá nem para imaginar como se reúne coragem para lidar com um propósito de vida da dimensão de Deus. Mas a boa notícia é que não temos de juntar nada. A coragem é um dom de Deus. Para recebê-la, basta que nos apresentemos a ele e contemos com sua total fidelidade.

A pedra da coragem não é um mero seixo no rio que está ali para nos impedir de cair na água. Ela está muito mais para o rochedo de Gibraltar, um enorme e espetacular promontório de pedra calcária. Podemos imaginá-la como o abrigo seguro e protegido de Deus para nós. Sua mensagem — "confie em mim" — convida-nos a avançar com coragem.

O DOM DIVINO DA CORAGEM

Você consegue imaginar uma maneira de superar o receio de cumprir um propósito maior do que a vida sem ter acesso ao abrigo seguro de Deus? Por mais que tente, eu não consigo! Preciso de muita coragem para cumprir o propósito de Deus para minha vida e acredito que aconteça o mesmo com você. Vejamos, então, o tipo de coragem que Deus nos oferece.

O autor de um dos Evangelhos, Mateus, descreve o passo da coragem como um *mandamento* de Jesus. Isso significa que Jesus *ordena* que sejamos destemidas. Não é o mesmo que dizer que Deus nunca nos usará para realizar seus propósitos, se sentirmos medo. Ele pode fazer isso, e o faz. Não podemos supor que todos os nossos medos desaparecerão num passe de mágica quando dermos o passo da coragem. Na verdade, tomar coragem é um ato deliberado que nos ajuda a expulsar o medo e a seguir em frente. É um ato que depende da nossa iniciativa e fundamenta-se em um elemento real e confiável: a constância de Deus.

A coragem começa com o entendimento de que Deus chama cada uma de nós pelo nome e promete estar conosco. O profeta Isaías explica bem esse conceito quando lembra que somos muito preciosos e honrados aos olhos de Deus, e o Pai celestial nos ama tanto, que nunca nos abandonará nem nos desamparará:

> Não tema, pois eu o resgatei; eu o chamei pelo nome; você é meu.
>
> Quando você atravessar as águas, eu estarei com você; quando você atravessar os rios, eles não o encobrirão. Quando você andar através do fogo, não se queimará; as chamas não o deixarão em brasas.
>
> Pois eu sou o Senhor, o seu Deus [...]
>
> Visto que você é precioso e honrado à minha vista [...]
>
> Não tenha medo, pois eu estou com você.[1]

Essa descrição do amor de Deus por nós e de sua promessa de estar conosco me conforta e oferece paz de espírito. Ela explica por que não há motivo para ter medo: Deus está comigo! Então, mesmo que *sinta* medo, posso perseverar porque Deus prometeu estar ao meu lado. Ao entender a verdade da sua presença comigo, dou um suspiro de alívio e sigo com coragem.

Jesus ilustrou vividamente a mesma mensagem aos seus discípulos quando estava com eles na Terra. Na escuridão de uma noite tempestuosa, o barco em que os discípulos estavam era castigado pelas ondas do mar agitado. Jesus apareceu sobre a água e os homens, já assustados, ficaram amedrontados como se estivessem diante de um fantasma. Qual foi a resposta de Jesus? Ele disse: "Coragem! Sou eu. Não tenham medo!".[2]

Não há motivo para sentirmos medo se Jesus está conosco! É muito reconfortante saber que ele nos encorajará como o fez com Pedro naquela noite. Com a mão estendida, ele nos chama a sair do barco e a caminhar sobre a água em sua direção, pois nos amparará se começarmos a afundar diante das terríveis pressões da vida. Ele é a razão para sermos destemidas. Quer nossos medos desapareçam quer não, na busca de nossos objetivos, ganharemos coragem ao obedecer a Deus e experimentar sua fidelidade.

POR QUE A CORAGEM É TÃO IMPORTANTE?

Todas as pessoas correm o risco de se desviar do caminho por causa do medo. Uma das descobertas inesperadas que fiz nas entrevistas com os jovens detentos que visitei na prisão (v. capítulo 6) foi que todos viviam com medo de alguma coisa. E, como aprendi por experiência própria há muito tempo, quando o medo nos aflige, ele é capaz de nos paralisar. Agora que trabalho com mulheres, às vezes deparo com algumas cujos medos — viajar de avião, ser abandonada, falar em público, altura, ser rejeitada etc. — as impedem de ser tudo o que Deus planejara para elas.

Não tenho a menor dúvida de que o medo afeta nosso propósito de vida. Sei o quanto ele pode prejudicar uma mulher cristã que está tentando viver segundo o propósito para o qual Deus a criou. Quando o medo toma conta de você, ele bloqueia a criatividade, a produtividade e os relacionamentos. Assim, ao encarar seus medos, agarrando-se à coragem de Deus, você conseguirá recuperar essas capacidades e viver o propósito de sua vida.

Além disso, ao obedientemente criar coragem, sua visão da fidelidade e do poder de Deus aumentará. Deus deseja acalmar seus medos para que seu relacionamento com ele se torne mais seguro e íntimo. Quanto mais confiar nele, mais você viverá com a certeza de que ele está no controle. E, quanto mais profundo for seu relacionamento com ele, mais desejará aproveitar as oportunidades ousadas e difíceis de servi-lo.

Sei que não é fácil ter coragem diante do medo, mas o esforço sempre é compensado pela liberdade adquirida. Deus honrará nossa coragem e dedicação. O dom divino da coragem faz-nos lembrar a liberdade dada a um prisioneiro. Vejamos, então, mais alguns medos comuns que nos podem desviar da caminhada com propósitos, para descobrir como tomar coragem diante desses medos.

Medo do ridículo e da crítica

O medo de passar ridículo e de receber críticas impede-a de buscar seu propósito? Você diz: "As pessoas vão rir de mim. Elas zombarão dos meus valores, das minhas crenças, da minha ética e da minha moral. E se elas se confrontarem comigo? Não sei como me defender".

Conheço muito bem esse medo. Durante anos, ele me impediu de evangelizar. Morria de medo que alguém criticasse minhas principais crenças ou me deixasse constrangida por causa da minha enorme dificuldade de memorizar as Escrituras. Mas, um dia, fiz-me uma pergunta decisiva: *será que devo realmente permitir que os comentários ou a crítica de alguém me impeçam de caminhar na fé e de realizar a obra que me foi designada por Deus?* Quando parei para pensar sobre isso, a resposta foi: "Claro que não!". Para cumprir o propósito de Deus para minha vida, precisava decidir tomar coragem e realizar a obra que ele me deu, apesar do medo que sentia.

Medo do sucesso

Talvez você não perceba de imediato, mas o medo do sucesso também pode paralisá-la e impedi-la de cumprir seu propósito. Pode torturá-la despertando pensamentos como: *se eu conseguir, as pessoas ficarão com ciúme e não me aceitarão mais. O sucesso pode me fazer sobressair na multidão e essa é a última coisa que desejo para mim. Terei de viver à altura das expectativas dos outros a meu respeito e não encontrarei mais sossego. Além disso, realmente não mereço ter sucesso e posso me tornar arrogante por causa dele.*

Além de se tornar uma presa fácil de quem não se apaixona pela visão de Deus e de se mostrar impassível diante de você, o medo do sucesso também a torna vítima de sua própria preocupação com o que os outros vão pensar. O melhor a fazer para espantar esse medo é reconhecer que o verdadeiro sucesso está naquilo que Deus encara como sucesso, e não no que as pessoas pensam ou dizem sobre ele.

Medo de ser desmascarada

O medo de ser *desmascarada* é um receio comum conhecido como "síndrome do impostor". Trata-se da preocupação excessiva de que as pessoas descubram que você não é bastante inteligente, boa, divertida, eloqüente, organizada ou amável para cumprir o propósito de Deus. Já vi esse medo tomar proporções assustadoras em algumas mulheres.

> *Se você tropeça é porque não está parado.*
> ANÔNIMO

O que os impostores fazem? Eles fazem todo o possível, durante o tempo que for necessário, para tentar esconder seus segredos mais tenebrosos ou para tentar provar ao mundo que são capazes. É extremamente cansativo preocupar-se com o fato de que seu *verdadeiro ser* ficará exposto, confirmando, assim, que Deus escolheu a mulher errada para realizar seu propósito. Sei, pela minha experiência pessoal e profissional, que o dia em que a mulher decide deixar de ser impostora é o mais feliz de sua vida.

Lembro-me muito bem do medo que sentia de ser desmascarada, quando fui demitida e comecei a trabalhar em um novo emprego. Embora fizesse um trabalho excelente para meu novo empregador, nos 14 meses que passei naquela firma, morria de medo de que um dia alguém descobrisse que eu não era muito competente nem produtiva. Em vez de tentar cumprir meus propósitos diários de forma agradável a Deus, tornei-me uma impostora, canalizando toda minha energia para agradar ao chefe.

Serei sempre grata a um bom amigo que me mostrou uma forma prática de encontrar coragem nessa situação. Ele me pediu que escrevesse como Deus cuidara de meus filhos e de mim durante o período em que fiquei sem emprego. Quando comecei a me lembrar dos milagres de Deus na minha vida e a registrá-los em um papel, percebi que o Senhor sempre esteve ao meu lado, exatamente como prometera. Essa prova da fidelidade de Deus na minha vida encheu-me de coragem e permitiu que desfrutasse de meu novo emprego.

Medo do fracasso

Um dos piores medos que existe é o de fracassar. Veja se alguma vez já pensou assim: *se eu fracassar, jamais acreditarão em mim novamente. Vou parecer uma idiota. As pessoas vão pensar que sou burra, porque não consigo acertar. Elas vão dizer: "Ela quebrou a cara. Agora aprenderá a lição"*. Saiba que você não é a única.

A maioria das pessoas vê o fracasso pessoal como se fosse o vírus da AIDS: fatal, devastador e muito triste para se comentar. Mas o fato é que, *certamente*, fracassaremos e Deus, com sua graça, perdoará nossas falhas. Então, espero que, a esta altura da caminhada, você tenha aprendido a aceitar seus fracassos e a seguir em frente, apesar deles. Se Deus nos pode perdoar, por que não tomamos coragem e perdoamos os próprios erros do passado, do presente e do futuro?

Sejam quais forem nossos medos, a única maneira de criarmos um lugar seguro e livre desses temores está em não fazer nada nem ir a parte alguma. Isso não nos oferece muita margem para viver, não é mesmo? Assim, morreremos de letargia ou de claustrofobia. Portanto, se você se pegar vivendo fechada, em uma pequena toca, com medo de fazer com sua vida o que Deus está pedindo para fazer hoje, aqui vai um conselho: ore, pedindo que tenha claustrofobia! Pelo menos, assim, instintivamente você vai querer sair! É sério. Aceite o perdão de Deus e peça que ele a ajude a sair da toca.

> *O fracasso é prenúncio do sucesso.*
> Anônimo

As mulheres corajosas me dão esperança!

Sou grata às muitas mulheres corajosas que conheço que não permitiram que o medo da rejeição ou do fracasso se tornasse empecilho para elas. Gostaria de compartilhar com você as histórias de três mulheres notáveis que venceram o medo.

Rainha Elizabeth I: seu pai a amaldiçoou no nascimento porque era mulher. O Papa declarou-a ilegítima e sua meia-irmã prendeu-a na Torre de Londres. Quando já era uma mulher madura, Elizabeth tornou-se rainha e seu reinado durou 45 anos, tempo durante o qual a Inglaterra ganhou prosperidade, paz e poder. Ela instituiu o direito a um julgamento justo e foi a primeira a implantar programas voltados ao bem-estar social de idosos, enfermos e pobres.

Elizabeth Blackwell: 29 faculdades de medicina rejeitaram-na antes que ela se transformasse na primeira mulher nos Estados Unidos a se tornar médica. Depois que vários hospitais se recusaram a contratá-la, ela própria abriu uma enfermaria para mulheres e crianças indigentes, em Nova York. Mais tarde, fundou uma escola de medicina para mulheres.

Mary McLeod Bethune: era a caçula de 17 filhos. Quando foi rejeitada para o trabalho missionário, abriu uma escola. Seus alunos usavam caixas no lugar de carteiras e sabugo para escrever. A fim de conseguir dinheiro, com a ajuda dos alunos vendeu toneladas de lixo ao dono de um depósito de entulho local. O presidente Franklin Roosevelt homenageou-a por ter sido a primeira mulher afro-americana a trabalhar como consultora presidencial.

Essas mulheres de coragem ajudaram-me a ter esperança para enfrentar o difícil ministério e as tarefas missionárias que me foram atribuídas por Deus. Não sei o que elas fizeram para superar os medos com os quais depararam, mas sei que, apesar de meus medos, gostaria muito de causar, no mundo, um impacto tão grande quanto o que elas causaram!

> *Nunca é tarde para começar, mas é sempre cedo para desistir.*
> ANÔNIMO

FALTA DE CORAGEM

Um dia, em Calcutá, minha mãe e eu reunimos bastante coragem para nos apresentar como voluntárias no Lar dos Moribundos. Fomos para lá de jinriquixá, num passeio alucinado, correndo precariamente pelas ruas caóticas, e depois pegamos o perigoso metrô, no qual punguistas atacam turistas na multidão. Nossos colegas voluntários nos alertaram para que ficássemos atentas durante todo o caminho.

No final, o transporte público na Índia não se mostrou tão ameaçador quanto receávamos. Mas o Lar dos Moribundos era muito mais assustador do que poderíamos imaginar. Depois de nos apresentarmos na recepção de voluntários, minha mãe e eu lavamos as mãos e colocamos um avental encardido. Fomos instruídas a aproveitar alguns minutos para nos familiarizar com o local e depois nos apresentar para os serviços vespertinos. Uma

Missionária da Caridade nos informou que banharíamos e alimentaríamos várias mulheres e pediu que escolhêssemos nossa primeira paciente. Minha mãe e eu tiramos o trêmulo sorriso do rosto, nos aprumamos e, estoicamente, atravessamos toda a ala feminina. Estávamos tentando nos orientar, estabelecer algum contato com as estranhas moribundas, encontrar um sinal de esperança e, francamente, matar o tempo.

Nada na minha vida poderia preparar-me para trabalhar com moribundos. O cheiro da morte impregnava o ar. Lágrimas de pânico encheram meus olhos. Até minha mãe, que foi enfermeira do Exército sob o comando do general Patton, parecia aterrorizada. Não conseguia acreditar na minha incapacidade de lidar com a situação. Orei, pedindo a Deus que acalmasse meu coração ansioso e trêmulo, e comecei a questionar minha sanidade por ter julgado que me tornaria uma boa missionária leiga em tão pouco tempo. Por que cometera o erro de concordar em ser voluntária naquele trabalho apavorante?

Finalmente, fiquei aliviada ao ver uma mulher sorridente e bonita, deitada no último leito. Ela olhou para mim. Rapidamente, anunciei à madre superiora que gostaria de conversar um pouco com aquela paciente e talvez alimentá-la — mas banhá-la, não, por favor! E, só para me certificar de que as regras estavam claras, acrescentei que nós não cortaríamos as unhas dos seus pés!

A sábia irmã sussurrou: "Não foi uma boa opção. Escolha outra pessoa. Essa paciente está em estado avançado de consumpção... você sabe, tuberculose".

Era tudo o que precisava ouvir. Embora tivesse tomado todas as vacinas necessárias para fazer viagens internacionais, a clara realidade do perigo iminente — a de que eu poderia pegar uma doença mortal — atingiu-me em cheio e acabou comigo. Minha mãe e eu nos comunicamos por meio da linguagem não verbal, comum entre mães e filhas, e tomamos uma decisão estratégica:

estava na hora de escapulir. Amedrontadas, escapamos pelas escadas de serviço até o terraço. Quando saímos, enchemos os pulmões de ar fresco e decidimos ficar ali, à espera do término de nosso turno.

Fiquei em estado de choque e tomada pela culpa. Por que não consegui realizar essa tarefa especial de trabalhar com várias mulheres moribundas durante algumas horas apenas? Por que era sempre um grande fracasso como cristã? Será que não conseguia realizar nenhum ministério direito? Como Deus me confiaria um propósito de vida ainda maior se não conseguia nem dar um copo de água gelada a uma estranha em seu nome? Desabei em lágrimas, condenando-me com a pergunta: "Qual é o meu problema?".

Em questão de minutos, um anjo, na forma humana de uma voluntária veterana que estava no intervalo de seu terço, aproximou-se. Quando a vi, pensei que ela me repreenderia por ter abandonado o posto. Comecei a pensar em uma desculpa, lutando para lembrar se existia algum mandamento como: "Não alimentarás nem banharás moribundas". Minha mãe e eu estávamos tão aborrecidas com o que vimos lá dentro que, ao mesmo tempo, começamos a balbuciar desculpas desconexas e soltas como: "Ah... não me sinto muito bem... o *pager* parou... uma bela vista da cidade no terraço".

A terna mulher sorriu e pediu que contássemos o que estávamos pensando. Minha mãe fez um aceno de cabeça para que eu dissesse a nossa inspetora por que estávamos em Calcutá. Pacientemente, a voluntária respondeu às minhas questões sobre vida, paz interior, preparo espiritual, objetivos santos e a descoberta do propósito de minha vida. Ela ouviu e disse que Jesus compreendia nosso medo. Ela não nos condenou por ficarmos lá fora até o fim do turno. Seu conselho atemporal ainda ressoa nos meus ouvidos: "Aproveite tudo o que você viu e faça um bom uso quando voltar para sua casa nos Estados Unidos. Pense mais com o coração, e não com a mente. Ponha-se no lugar das pessoas e veja a vida na perspectiva delas. Você só poderá servi-las se sentir amor por elas".³

Embora fosse uma estranha, a ternura e a generosidade daquela mulher me banharam e me alimentaram quando me faltou coragem para banhar e alimentar os outros. Ela me disse que eu poderia buscar oportunidades simples de serviço para e com a família e minha comunidade. Além disso, ela me garantiu que Deus tornaria seu chamado mais claro para mim; por isso não deveria preocupar-me com pormenores — onde, como e quando seria —, nem mesmo se ele pediria que eu o servisse de forma grandiosa e impressionante. E, com mais ênfase, ela me disse que eu deveria cuidar das funções que já preenchiam minha vida.

Quando voltei aos Estados Unidos, comecei a fazer o dever de casa que aquela mulher me recomendara e aprendi a pensar com o coração, e não com a mente. Enquanto me esforçava nessa tarefa, Deus fortaleceu minha fé e renovou minha coragem. Era como se ele tivesse lançado meu medo em forma de dívidas no seu livro-caixa e, depois, tivesse *quitado todas elas* e ainda depositado algum dinheiro e me dado um crédito de coragem! Não faz nenhum sentido, mas quem sou eu para questionar Deus?

Não sei que tipos de medo a deixariam paralisada. Mas, sejam quais forem eles, insisto em que você tenha sempre coragem diante deles. Foi o Senhor quem disse a Josué: "Não fui eu que lhe ordenei? Seja forte e corajoso! Não se apavore, nem desanime, pois o SENHOR, o seu Deus, estará com você por onde você andar".⁴ Deus promete também estar com você. Não há nada melhor do que tomar sua mão e enfrentar o medo, gritando: "Hoje, Deus derrotou Golias por mim; tudo está bem".

Você sabia que Deus não precisa de nossa coragem para realizar seus planos? Pense em qualquer história da Bíblia — as de

Jonas, Moisés, Ester ou Pedro, por exemplo — e verá que Deus realizou sua obra em meio ao medo de alguém. Então, na verdade, temos apenas duas escolhas quando se trata do medo de cumprir o propósito de nossa vida. A primeira consiste em realizar as atribuições de Deus, apesar de espernear e gritar de medo. E a segunda, em tornar a caminhada inteira mais fácil, começando hoje a entregar nossos medos a Deus ou, pelo menos, a confiar que ele está ao nosso lado quando executamos sua obra.

GUIA DE VIAGEM PARA TOMAR CORAGEM

As sugestões descritas a seguir ajudarão você a pisar com segurança na rocha da coragem. Leve o tempo que for necessário para concluir as etapas mais úteis para você e repita-as sempre que julgar de proveito continuar a caminhar com coragem.

Empregue a tática da hierarquia dos medos

Faça uma lista de todos os seus medos em relação ao cumprimento dos propósitos de Deus. Você tem medo de que ele a envie à África como missionária? Tem medo de não conseguir cumprir seus desígnios? Tem medo de irritar alguém que apreciava seu *status quo* ou de ser chamada de fanática religiosa? Tem medo de ser obrigada a se arrepender de um pecado que não quer abandonar ou ser levada a resolver um problema de caráter? Teme não ter dinheiro suficiente para a tarefa ou precisar largar o emprego? Você tem medo de precisar abandonar seu atual ministério, juntar-se a um grupo de estudo da Bíblia, conhecer pessoas diferentes ou convidar um vizinho para freqüentar a igreja? Ou receia enfrentar e resolver o medo existencial de que a vida não tem nenhum significado maior? Classifique todos os seus medos, sejam quais forem, do menor para o maior.

Ore sobre sua lista e peça a outras pessoas que orem em seu nome, em busca da revelação divina sobre seus verdadeiros medos em relação ao seu propósito. Então, pronuncie-se e reivindique a promessa de que Deus estará a seu lado. Depois, dê um pequeno passo, apresentando diante de Deus seus menores temores. Continue resolvendo cada medo de sua lista, por mais demorado que seja o processo. Dê a si mesma uma recompensa sempre que superar um medo (não, nada de compras nem de comida!).

Faça duas perguntas a si mesma

Primeiro, pergunte: "Que tipo de egocentrismo o medo desperta em mim?". Escreva a resposta e, depois de uma semana, releia-a. Se você sentir um pesar santo, arrependa-se do seu egocentrismo.

Depois, pergunte: "O que o medo roubou de mim?" (por exemplo, a oportunidade de receber uma bênção divina, a oportunidade de glorificar Deus ou de abençoar outras pessoas).

Discuta sua resposta com uma amiga e peça seu conselho sobre como tomar coragem diante de seus medos.

Aplique a tática de "comer apenas o espinafre"

Minha irmã, meu filho e eu costumamos usar a tática do "coma apenas o espinafre" para estimular um ao outro a enfrentar tarefas assustadoras — e ela realmente funciona. Você pode experimentá-la, mesmo que deteste espinafre tanto quanto eu detesto! A idéia da experiência é a seguinte: às vezes, é preciso comer o terrível *espinafre* primeiro — dar sua primeira palestra, apresentar sua idéia para um livro ou fazer um pedido difícil — para ter tempo de provar e sentir o gosto daquela coisa terrível chamada medo. Às vezes, a melhor estratégia é simplesmente "ir à luta", mesmo que tenha receio do que encontrará pela frente. Confie em que Deus a ajudará a vencê-la.

Sustente sua coragem com a Palavra de Deus

Há na Bíblia várias passagens que nos inspiram coragem. A seguir, apresento uma seleção imperdível de Salmos. Leia, medite e escreva sobre elas.

> Não terei medo de dez milhares de pessoas que se puserem contra mim ao meu redor (Salmos 3.6, AEC, contexto v. 5-7).

> Ainda que eu andasse pelo vale da sombra da morte, não temeria mal algum, porque tu estás comigo; a tua vara e o teu cajado me consolam (Salmos 23.4, AEC, contexto v. 3-5).

> Ainda que um exército me cerque, o meu coração não temerá; ainda que a guerra se levante contra mim, nele confiarei (Salmos 27.3, AEC, contexto v. 2-4).

> Busquei o SENHOR, e ele me respondeu; livrou-me de todos os meus temores (Salmos 34.4, contexto v. 3-5).

> Por isso não temeremos, ainda que a terra trema e os montes afundem no coração do mar (Salmos 46.2, contexto v. 1-3).

> Você não temerá o pavor da noite, nem a flecha que voa de dia (Salmos 91.5, contexto v. 4-6).

> Não temerá más notícias; seu coração está firme, confiante no SENHOR (Salmos 112.7, contexto v. 6-8).

LIVROS RECOMENDADOS SOBRE CORAGEM

Feeling Secure in a Troubled World [Como se sentir seguro em um mundo conturbado], de Charles Stanley[5]
Women of Courage [Mulheres de coragem], de Debra Evans[6]

ESTÁ NA HORA DE PEDIR CORAGEM

Tínhamos uma gata na família chamada Medrosa porque se assustava com tudo. Ela corria e se escondia, como se fosse um ladrão fugindo da polícia, desaparecendo durante dias sem deixar sinal, a não ser pela comida que sumia de sua tigela. Em raros momentos, ela nos agraciava com sua presença, mas logo depois se escondia de novo se ouvisse a campainha, o telefone, o barulho do cortador de grama fora de casa ou o som de uma voz desconhecida.

Esse pretenso animal de estimação ilustra bem o modo de agir das pessoas propensas ao medo. Como nossa gata, sua reação é a de correr e se esconder. Você gostaria de parar de correr e de se esconder dos seus medos mais profundos? Está disposta a oferecer a Deus os medos que sente diante dos propósitos dele? Está pronta para dar mais um passo na direção de Deus e do propósito que ele estabeleceu? Está preparada para *tomar coragem*?

Janet Congo, uma estimada amiga, disse o seguinte sobre o medo, em *Free to Be God's Woman* [Livre para ser uma mulher de Deus]:

> As mulheres cristãs determinadas não se detêm quando seus joelhos batem. Por quê? Porque elas os usam também para se ajoelhar. Elas sabem *quem* são e *de quem* são.[7]

Mesmo com os joelhos batendo, você crê que seu bondoso Deus lhe revelará mais sobre si mesmo e realizará os propósitos dele por seu intermédio, agora e no futuro? Você não acredita que está na hora de se livrar do medo do ridículo, do sucesso ou do fracasso, do medo de não ser boa o suficiente ou de qualquer outro? Para caminhar sem medo, você precisa sair da toca autodestrutiva que a limita e reduz sua percepção de Deus. Você está pronta para ser uma mulher de Deus corajosa? Ele está acenando para que você confie nele e tenha coragem. Agora é a melhor hora para começar.

A SABEDORIA DE DEUS PARA A CAMINHADA

O EXEMPLO DE VIDA DE "ESTER": TER CORAGEM

Para aprender uma lição sobre a coragem da rainha Ester, nesta etapa da sua vida, leia Ester 1—10. Ester foi chamada a arriscar a vida, a fim de salvar o povo judeu. Atendeu ao chamado, dizendo: "Se eu tiver que morrer, morrerei". Se Deus lhe deu uma atribuição hoje que lhe causou medo, você está disposta a cumpri-la de todo jeito? Assim como Ester, estaria disposta a orar e a fazer um jejum espiritual (e pedir aos outros que façam o mesmo) antes de começar? Peça a Deus que lhe dê força para obedecer a ele, quando não conseguir superar seus medos, para que nada interfira nos planos que ele reservou para você, agora e no futuro.

QUESTÕES PESSOAIS DA CAMINHADA

1. Quais são seus maiores medos em relação aos propósitos de sua vida?
2. Se for o caso, que medos entregou ao poder de Deus?
3. O que Deus a está levando a fazer sobre um ou mais de seus medos?
4. Qual seria sua resposta à declaração do pastor Adrian Rogers: "Não tenha medo da vontade de Deus. Ela jamais o levará aonde seu poder não alcance"?[8]

NOTAS

[1] Isaías 43.1-5.
[2] Mateus 14.27; v. também os versículos 23-33.
[3] Conversa com a autora no terraço do Lar dos Moribundos em Calcutá, na Índia, dezembro de 1987.
[4] Josué 1.9.
[5] STANLEY, Charles. *Feeling Secure in a Troubled World*. Nashville: Thomas Nelson, 2000.
[6] EVANS, Debra. *Women of Courage*. Grand Rapids: Zondervan, 2000.
[7] CONGO, Janet. *Free to Be God's Woman*. Ventura, Califórnia: Regal, 1985, p. 148. Tradução livre.
[8] ROGERS, Adrian. Da série em áudio *Back to the Basics: Volume 2*, "How to Know the Will of God". Memphis: Love Worth Finding Ministries, 1994.

Capítulo 13

GLORIFIQUE DEUS

> *[Jesus orou:] Eu te glorifiquei na terra, completando a obra que me deste para fazer*
> (JOÃO 17.1-4).

Lembra-se da paisagem distante que viu no início da caminhada com propósitos? Agora ela está a apenas um passo de você! Um último salto e sua vida se tornará parte da pitoresca paisagem que almejou alcançar quando ainda estava do outro lado do rio. O passo que está para dar é o mais milagroso e jubiloso de todos: *glorificar Deus, completando a obra que ele lhe entregou para realizar.*

Entenda bem. Você é um *poiēma* — "feitura de Deus".[1] Você é sua *magnum opus*, uma obra-prima de grande amor. Engenhosamente, antes do seu nascimento, ele a compôs de forma perfeita para um propósito espiritual de longo alcance que exibiria sua glória. E a maior oferta de adoração que você pode fazer é exaltá-lo com sua vida.

Mas você precisa decidir se buscará a visão de Deus para sua vida e, por meio dela, o glorificará. A escolha é sua. Deus será glorificado independentemente de sua decisão de se unir a ele e cumprir seu propósito. Sua glória jamais dependerá de você, mas é um grande privilégio participar de sua obra na Terra. Que honra Deus nos dá ao permitir que o dignifiquemos com cada passo que damos na vida!

Bach, o grande compositor, compreendia esse conceito tão bem quanto qualquer outra pessoa. Ele é mundialmente conhecido por incluir em suas composições musicais a inscrição *SDG*, as iniciais do latim para *soli deo gloria*, que significa "somente para a glória de Deus". E você? Deseja exaltar a Deus em cada uma de suas ações? Está ansiosa para incluir a inscrição *SDG* na sinfonia de sua vida?

COMO VOCÊ PODERÁ COMPLETAR ESSA TAREFA?

Depois de contemplar a visão de Deus e aceitar o grande propósito que ele determinou para você, é perfeitamente natural perguntar como você deverá cumprir a tarefa que ele lhe atribuiu. Você pode até mesmo questionar se isso é possível. Apesar da grandiosidade da tarefa à sua frente, posso garantir que *é* possível. Em Mateus 11.28-30, o próprio Jesus nos diz para realizá-la: "Venham a mim e Eu lhes darei descanso [...]. Levem o meu jugo — porque ele se ajusta perfeitamente — e deixem que Eu lhes ensine [...] e vocês acharão descanso para suas almas; pois só Eu faço vocês carregarem cargas leves" (BV).

Jesus é nosso exemplo de como fazer o que Deus nos pede. Enquanto realizava a obra do seu Pai entre os homens, Jesus orava continuamente pedindo orientação e força para que pudesse completar a grande tarefa que tinha diante de si. O propósito único de Deus para nós também requer que oremos por sua força e graça por causa dos difíceis e diversos aspectos da obra que ele nos confiou. Mas, na verdade, a pressão para completar sua obra não recai sobre nós, mas sobre o próprio Deus! Somente ele sabe o que devemos fazer e nos pode dar a força e os meios para isso.

> *Eu já o conhecia antes de você ter sido formado no ventre de sua mãe. Antes do seu nascimento, Eu já havia separado e escolhido você para ser o meu profeta e mensageiro às nações.*
> (JEREMIAS 1.5, BV)

Caminhar e trabalhar com Deus é como ter um sistema de navegação pessoal que nos mantém em movimento na direção certa. Deus sabe para onde devemos ir e como chegaremos lá. Precisamos apenas nos apresentar e dizer: "Olá, Deus. Vim trabalhar hoje. Como posso servir-te? O que desejas que eu faça agora? Qual o caminho, o meio, a força e os relacionamentos que preparaste para mim?".

Deus sempre sabe o momento exato de seu nascimento e de sua morte. Ele não lhe dará nada que você não possa realizar antes que ele a leve para casa. Se conseguir fazer sua caminhada com propósitos sem se desviar, Deus permitirá que você participe da edificação de sua obra enquanto estiver na Terra. Isso é verdade, quer já esteja realizando seu propósito em uma corrida cega, quer esteja dando os primeiros passos para se preparar, para se equipar em termos de caráter, finanças e rede de relacionamentos e desenvolver suas habilidades para o que encontrará pela frente.

Ao considerar o que é preciso acontecer em sua vida para que possa seguir o plano de Deus, tenha cuidado para não perder a esperança diante das muitas incertezas. Em vez disso, concentre-se no que sabe e confie os detalhes a ele. Você ganhará mais tempo, energia, recursos, crescimento espiritual, talentos, caráter, experiências e funções conforme os canalizar para seu grande propósito e destino. Deus deve ter planejado uma grande festa de propósitos e alegrias para quem completar fielmente sua obra!

> *As pessoas centradas comportam-se de maneira bastante diferente das outras. Sua vida tem muito mais significado, propósito e intensidade. Quando nos tornamos bastante centrados, nosso objetivo passa a ocupar o ponto de convergência. Podemos ver claramente o mesmo princípio em ação quando usamos uma lente para concentrar e intensificar os raios solares.*[2]
> TOM PATERSON

Como acontece em qualquer tarefa, algumas pessoas demoram a começar, outras fazem longas pausas no bebedouro e outras ainda encontram tempo para jogar uma partida de golfe à tarde.

Apesar dos atrasos conscientes dos reveses inesperados da vida, devemos realizar a tarefa que recebemos segundo o exemplo de Jesus. Por mais impossível que isso pareça no momento, tenha coragem e dê mais um passo pela glória de Deus. Anime-se, pois um dia ele a cumprimentará por ter realizado a tarefa que lhe foi confiada neste mundo e dirá: "Muito bem, servo bom e fiel!".[3]

Descubra o júbilo que você jamais imaginou encontrar

Que júbilo será ouvir essas palavras de agradecimento e de aprovação do Senhor, quando nosso tempo aqui terminar! Entretanto, não precisamos esperar chegar ao céu para experimentá-lo. Deus nos recompensa com imensa alegria quando cumprimos sua vontade. Permita-me falar um pouco mais sobre essa agradável experiência.

A melhor maneira de realizarmos fielmente a obra de Deus consiste em depositarmos o coração e a alma em Jesus. Quando caminhamos com ele para cumprir nosso propósito e realizar seus planos, passamos a conhecê-lo mais do que nunca! A conseqüência natural desse profundo conhecimento é o júbilo. Conforme conhecemos Jesus, entendemos cada vez mais por que, quando ele nasceu, os anjos cantaram: "Júbilo ao mundo"!

Júbilo é uma alegria extrema, uma grande satisfação que nos enche de contentamento. O verdadeiro júbilo não se baseia nas circunstâncias, mas no reconhecimento de tudo o que Jesus fez por nós. Jubilar-se é estar tão pleno de Jesus que ele domina nossos pensamentos, atitudes e ações. O compromisso de realizar a obra que Deus nos designou é a reação sincera diante desse júbilo.

O conhecimento de Jesus, que ganhei durante a longa jornada que fiz com ele na caminhada com propósitos, finalmente me ajudou a entender o que Madre Teresa de Calcutá quis dizer quando descreveu sua obra nas favelas como *pura alegria*. Não há a menor dúvida de que sua fonte de prazer e satisfação era Jesus Cristo. Ele lhe deu um contentamento que jamais se dissiparia, mesmo nas terríveis condições das favelas nas quais ela trabalhava e vivia.

O júbilo de glorificar Deus realizando sua obra pode ser tão grande, que a fará imaginar se existe alguma coisa errada, se é pecado sentir-se tão satisfeita. Isso pode até ser verdade se você não se julgar merecedora de ser feliz, se foi criada para crer que a realidade é sempre dura, ou se pensar que o ministério deve ser uma obrigação maçante. Mas, acredite, não é pecado sentir o prazer de Deus ao cumprir seus planos na sua vida. É uma dádiva!

No filme *Carruagens de fogo*, temos o retrato de Eric Liddell, missionário escocês e corredor olímpico do início do século 20. Tentando explicar sua paixão pela corrida, Eric disse: "Quando corro, sinto o prazer dele [de Deus]". Conosco não é diferente. Podemos não ser corredoras, mas Deus nos fez, assim como fez Eric, para sentir seu prazer quando cumprirmos o propósito que ele designou para nós.

Essa idéia magnífica de permitir o júbilo — plenitude e satisfação ao realizarmos a obra do Senhor — é para mim uma das dádivas mais incríveis de Deus. Mas que mente genial a de Deus por nos criar de forma que sejamos mais eficientes e felizes quando nos sentimos úteis fazendo aquilo de que mais gostamos! É a segunda coisa que lhe agradecerei quando chegar ao céu; a primeira será agradecer-lhe a misericórdia dispensada por meio de seu Filho, Jesus Cristo.

> *Todavia, não me importo, nem considero a minha vida de valor algum para mim mesmo, se tão-somente puder terminar a corrida e completar o ministério que o Senhor Jesus me confiou, de testemunhar do evangelho da graça de Deus* (ATOS 20.24).

Haverá milagres!

Não somente nos regozijaremos ao honrar Deus por meio da obra que nos foi designada, mas também descobriremos que é enorme a quantidade de milagres entre a última pedra e a outra margem do rio. Os milagres vão nos ajudar a superar obstáculos, encher de esperança enquanto aguardamos e guiar para as escolhas certas. E precisaremos de cada um deles!

Os heróis da fé mencionados na Bíblia — Noé, Abraão, José e outros — dão testemunhos de que, sem os milagres poderosos de Deus, eles estariam condenados! Que tipo de milagre Deus fez para permitir que sua obra fosse cumprida? Bem, no caso de Moisés e Josué, ele dividiu o mar Vermelho, fez cair o maná do céu, fez a água brotar da rocha no deserto, derrotou diversos inimigos e muito mais! Da mesma forma, o empreendimento incomparável que Deus lhe reservou exigirá milagres do mundo moderno e façanhas inimagináveis que somente ele é capaz de realizar. Você pode já ter testemunhado milagres, mas quem já passou por essa etapa lhe dirá: "Minha irmã, você não viu nada ainda!".

Se você já esperou ou ainda espera receber a visão de Deus, se tem diante de você trabalho para ser realizado agora, se conhece o propósito de sua vida, ou se não se sente ainda preparada para isso, pode confiar que Deus, o Criador de todas as coisas, proverá tudo de que você precisa. Espere, pois ele aparecerá diante de você e abrirá as portas que antes estavam trancadas. Espere, pois ele a carregará nas asas dos milagres que forem necessários para completar a tarefa.

Obviamente, terá de fazer sua parte, mas você é apenas uma personagem na monumental e estrondosa peça divina da vida. Deus é o autor e diretor, e providenciará o cenário para que você desempenhe seu papel em sua glória. Isso não significa que não haverá nenhum problema ou provação neste mundo caído, mas que você pode contar com ele para realizar milagres inimagináveis em seu benefício!

Ao cumprir seu propósito, você ficará maravilhada diante da majestade de um Deus que a livrou de uma perspectiva extremamente limitada e colocou-a de maneira estratégica em sua grande produção. É o suficiente para que você levante as mãos ao céu em celebração, exultante por não ter desistido e por saber que a rocha sobre a qual seus pés estão firmemente plantados é o Deus todo-poderoso. Participar de algo tão milagroso quanto cumprir o propósito que ele lhe designou fará você exclamar: "Obrigada, Jesus, por permitir que eu, uma mulher comum, junte-me a ti onde realizarás a tua obra hoje. Embora eu não mereça, tu me escolheste e me designaste. Embora eu não seja capaz, tu me equipaste e, milagrosamente, preparaste o caminho para mim. Obrigada pelo enorme privilégio de ser usada por ti".

SEGURE FIRME!

Você costuma fugir pela *saída dos covardes* na montanha-russa ou entra e aperta o cinto? A esta altura da caminhada, acredito que Deus espera que não haja volta. Você assumiu o compromisso de glorificá-lo com sua vida e deve cumpri-lo. Portanto, aperte o cinto e segure firme. A grande aventura da sua vida está para começar!

Já não basta mais observar Jesus a distância, esperando aprender mais sobre o comportamento santo. Agora, Jesus mora dentro de você e brilha por seu intermédio com todo o poder, sabedoria e graça. A questão não é mais: "O que Jesus faria?", mas: "Como posso cooperar neste momento com Jesus para que sua glória resplandeça por meu intermédio?".

Está na hora de se livrar da necessidade de ficar no controle. Está na hora de sair do seu trono de isopor e deixar que Deus assuma o comando. Sua glória ficará evidente quando você decidir ouvir sua voz e obedecer às suas ordens. Por isso, é muito importante aprender a obedecer a todas as instruções bíblicas das etapas de crescimento na caminhada com propósitos. Cada uma delas é uma preparação essencial para exaltar a Deus, seguindo o propósito único que ele estabeleceu.

Tudo o que lhe resta fazer é segurar firme. Às vezes, será como se Deus a movesse em velocidade supersônica; outras vezes, como se ele a levasse a passo de tartaruga. Você gritará de pânico, mas também de deleite. O pânico virá dos problemas inevitáveis que testarão sua paciência; o deleite, da pura alegria de participar do plano glorioso de Deus.

> *Vocês não me escolheram, mas eu os escolhi para irem e darem fruto, fruto que permaneça...*
> (JOÃO 15.16).

Como você bem sabe, as dúvidas e os anseios que eu sentia sobre meu propósito permaneceram sem resposta durante anos. E, como você também sabe, Deus me deu pistas e impressões sobre sua visão para minha vida que me deixaram aturdida por muito tempo. Eu soube, por exemplo, que meu pastor, Rick Warren, queria que nossa igreja se tornasse uma das mais espiritualmente maduras dos Estados Unidos. Queria muito ajudá-lo nesse empreendimento, mas não sabia como.

Enquanto isso, trabalhava como voluntária no escritório da igreja e sonhava em me tornar parte da equipe, sem jamais imaginar que isso aconteceria. Então, de repente, fui contratada para fazer uma pesquisa para um sermão. Em uma série de acontecimentos totalmente inesperados, uma coisa levou à outra, e acabei tornando-me diretora do reconhecido seminário da Saddleback que, por sinal, fazia parte do plano de crescimento espiritual da igreja! Outra responsabilidade minha era a de desenvolver um material de maturidade espiritual destinado a ajudar os membros da igreja a se tornarem tudo o que Deus lhes havia designado. Essas tarefas, por sua vez, ajudaram-me a enxergar a importância da caminhada com propósitos para a mulher. Que aventura incrível!

No momento oportuno, Deus realizou o milagre grandioso de tornar em realidade o sonho único que havia instilado em mim: servir mulheres, a quem ele ama profundamente. Nesse longo processo, minha principal atribuição foi a de persistir, glorificá-lo e realizar as tarefas que ele me atribuía em cada etapa do caminho.

> *A maior finalidade da vida consiste em empregá-la em algo que perdure.*
> WILLIAM JAMES

De fato, minha função era — e é — a de reverenciá-lo como meu Salvador e Rei, servindo-o. Minha responsabilidade era e é a de acreditar na promessa de que ele tem, realmente, um plano fascinante com muitos propósitos revigorantes para minha vida. Por eu conhecer a dor do despropósito muito bem, minha tarefa é a de honrá-lo e compartilhar a caminhada com propósitos com outras mulheres que o buscam.

GUIA DE VIAGEM PARA GLORIFICAR DEUS

As sugestões descritas a seguir irão ajudá-la a glorificar Deus em cada passo de sua caminhada com propósitos.

Compartilhe suas impressões de Deus

Erma Bombeck afirmou certa vez: "É preciso ter muita coragem para revelar seus sonhos aos outros".* Concordo plenamente com ela. Por isso, peço para que caminhe na fé e encontre uma "parceira de propósitos", uma conselheira cristã confiável com quem possa compartilhar as impressões que Deus lhe deu sobre os motivos de sua existência. Não passe por esse processo sozinha. Dê a alguém o privilégio de testemunhar um milagre virtual ao seu lado, enquanto você louva o Senhor com sua vida.

Peça que Deus aproxime de você uma mulher santa e sábia que não esteja interessada apenas em instruí-la a cumprir a visão de Deus, mas também em ajudá-la a amadurecer espiritualmente ao

---

*Erma Louise Bombeck (1927-1996). Humorista e escritora norte-americana que ficou famosa com uma coluna de jornal ao retratar a típica família de classe-média americana da segunda metade do século 20 [N. da T.].

longo do caminho. Assim como o ferro afia o ferro, uma conselheira afiará sua consciência a respeito daquilo para que Deus a criou e chamou.

Limpe a casa

Diga ao Espírito Santo que você está pronta a fazer mais uma faxina! Conte-lhe que está limpando as teias de aranha dos cantos de sua vida e de suas ações. Peça que ele a ajude a tirar o lixo e a bagunça que impedem sua contribuição para o Reino de Deus.

Opte pela alegria, opte por Jesus

Tome uma atitude radical. Escolha a alegria a cada minuto em meio às provações, aos desafios, aos obstáculos e até aos seus compromissos. Decida ser totalmente devotada a Jesus, sua maior fonte de alegria. Acredite que ele cuidará das partes imperfeitas de sua vida, tenha conversas importantes com ele regularmente, ame as pessoas e lembre-se de honrar o Pai em tudo o que fizer. Opte pela alegria ao escolher Jesus. Deixe o amor dele brilhar através de você.

Registre os milagres em um diário espiritual

Se você ainda não tem um diário espiritual, pense em comprar um para registrar os milagres de Deus em sua vida. No alto de uma das páginas do diário, coloque o título: "Lembrar dos milagres" e faça uma lista dos milagres significativos que Deus já realizou para você e em você. Deixe bastante espaço nas páginas subseqüentes para as novas entradas! O salmista disse: "Recordarei os feitos do Senhor; recordarei os teus antigos milagres".[4] Adquira o hábito de recordar os insondáveis desígnios de Deus. Assim, você se lembrará de seu poder e de sua majestade quando mais precisar deles.

> **LIVROS RECOMENDADOS SOBRE A MISSÃO DE DEUS**
>
> *Designing a Woman's Life* [Planejando a vida de uma mulher], de
> Judith Couchman[5]
> *Game Plan* [A estratégia do jogo], de Bob Buford[6]

Está na hora de glorificar Deus, completando sua obra

Para o que você está canalizando sua energia? Para algo que lhe trará fama, prazer, riqueza, emoção ou poder? Ou a está usando para lidar com os propósitos que Deus tem para você? Peço-lhe que assuma o compromisso de centrar seus planos e atuação em torno das funções diárias e das metas dos propósitos que Deus estipulou para você.

Você está pronta para aceitar o convite de estar onde quer que ele esteja agindo, dia após dia, pelo resto de sua vida? Levará com você o desejo apaixonado de glorificá-lo, louvá-lo e compartilhá-lo, fazendo tudo o que ele lhe pedir? E, tão importante quanto tudo isso, está disposta a servir de mensageira de esperança, como o anjo Clarence, a todos os George Baileys que precisarem conhecer a visão de Deus para suas vidas? Oro para que sua resposta a todas essas perguntas seja sim, e para que você dê o próximo passo, o de *glorificar Deus, completando a obra que ele lhe entregou para realizar.*

Você está começando a entender que a obra que Deus designou para você hoje é tão importante que vale qualquer sacrifício? Não conheço privilégio maior do que usar a própria vida para servir a Deus e a seus propósitos eternos. Que outra causa, senão esta, seria digna de nossa vida? Nenhuma. Não há nada que se compare a isso.

Quando, finalmente, consegui identificar para que Deus me havia chamado, registrei a sensação de embarcar no propósito único da minha vida:

É engraçado, mas, aos 47 anos, sinto que os planos de Deus para minha vida estão apenas começando a tomar ritmo, e que a aventura com Jesus será um milhão de vezes mais jubilosa, miraculosa, divertida e centrada do que imaginava. Experimentar o propósito de Deus para minha vida tem sido uma grande fonte de esperança para mim. É como se visse Deus por um milissegundo. Sinto tanta gratidão, que tenho vontade de dizer: "Não trocaria um segundo da experiência de conhecer a vontade de Deus em minha vida por cem anos de deleites mundanos. Não mesmo!".

Oro para que você siga o conselho dado em Jeremias 6.16: "... Parem um pouco e pensem! Perguntem qual é o bom caminho, o meu caminho por onde vocês andavam há muito tempo. Se vocês andarem por ele, viverão em paz e segurança..." (BV). Oro para que não desista e faça o possível para se curar e persistir, fazendo hoje o que é importante fazer. Oro para que tenha consciência de suas motivações em tudo o que faz. Embora não conheça a sua situação, nem você a minha, oro para que você reconheça a necessidade de nos ajudar, uma à outra, ao longo do caminho. Oro para que se apaixone perdidamente por Jesus, busque a paz e ouça com atenção tudo o que ele tem a dizer. Oro para que tenha uma vida apaixonada de total oferta a Deus, arrependendo-se do pecado e servindo-o fielmente pelo resto de sua vida. Oro para que você se preencha e transborde em contemplação, visão e coragem. Oro para que, ao crescer em cada um dos propósitos diários de Deus, você floresça e se torne a mulher que, antes mesmo do começo do mundo, ele já tinha em mente.

Peço-lhe que leia esta promessa, retirada das Escrituras, e use-a em oração, inserindo seu nome:

Eu cairei sobre .... como o orvalho cai sobre as flores. Ela crescerá como o lírio e as suas raízes serão profundas como as dos cedros que crescem no Líbano! Os ramos de ....

se espalharão, belos como oliveiras, perfumados como as florestas do Líbano. Seu povo voltará de longe, do exílio e todos descansarão à minha sombra. Serão como campo de trigo, crescerão como uma plantação de uvas e terão o perfume dos vinhedos do Líbano.[7]

Acredite que Deus cumprirá seus grandes propósitos para você. Que sua jornada com Jesus seja um testemunho de seu amor e sua redenção. Que você aproveite esta aventura fenomenal da caminhada com propósitos. Que o júbilo de Jesus encha seu coração, e que seus propósitos preencham seus dias.

A SABEDORIA DE DEUS PARA A CAMINHADA

O EXEMPLO DE VIDA DE SARA: GLORIFICAR DEUS, COMPLETANDO A OBRA QUE ELE LHE ENTREGOU PARA REALIZAR

Para aprender uma séria lição de vida com Sara (que quase perdeu a dádiva de Deus por causa da dúvida), leia Gênesis 18.1-15. Sara soube (por intermédio de Abraão e alguns visitantes anônimos) que o plano de Deus para a vida dela era o de gerar um filho. Como estava com 90 anos, riu e duvidou.

Se Deus lhe conceder um sonho impossível, qual será sua reação? Você o glorificará completando a obra que ele lhe deu para realizar, independentemente dos obstáculos que ele terá de derrubar?

QUESTÕES PESSOAIS PARA A CAMINHADA

1. Descreva uma das etapas que você já percorreu na caminhada com propósitos. Consultando os diversos capítulos e exercícios deste livro, escreva uma declaração de metas para três meses, incluindo as diversas etapas que ainda não percorreu ou que precisa rever.

Etapas da caminhada com propósitos

- Deixar o passado para trás e prosseguir em direção ao alvo (a cura e a esperança no plano de Deus)
- Fazer hoje aquilo para o qual Deus a trouxe ao mundo (funções atuais)
- Amar os outros como Jesus ama você (relacionamentos saudáveis)
- Buscar a paz e segui-la (paz interior)
- Arrepender-se e desviar-se de todos os seus males (mudar seu modo de agir)
- Lavar os pés uns dos outros (serviço)
- Caminhar com integridade, e não com falsidade (motivações puras)
- Esperar que Deus atenda aos desejos de seu coração (paixão)
- Oferecer sua vida diariamente a Deus como sacrifício vivo (oferta)
- Contemplar ansiosamente a visão que o Deus todo-poderoso revelará a você (visão)
- Ter coragem (não temer)
- Glorificar Deus, completando a obra que ele lhe entregou para realizar (glorificar Deus)

2. O que a passagem de Êxodo 9.16 significa para você?: "Mas eu o mantive em pé exatamente com este propósito: mostrar-lhe o meu poder e fazer que o meu nome seja proclamado em toda a terra".

Notas

[1] V. Efésios 2.10, AEC (do grego).

[2] PATERSON, Tom. *Living the Life You Were Meant to Live*. Nashville: Thomas Nelson, 1998, p. 173.

[3] Mateus 25.21.

[4] Salmos 77.11.

[5] COUCHMAN, Judith. *Designing a Woman's Life: A Bible Study and Workbook*. Sisters, Oregon: Multnomah, 1996.

[6] BUFORD, Bob. *Game Plan*. Grand Rapids: Zondervan, 1999.

[7] Oséias 14.5-7, BV.

GUIA PARA DISCUSSÃO EM GRUPO

SUGESTÕES ÚTEIS PARA DISCUSSÃO EM PEQUENOS GRUPOS E PARA OUTROS USOS

Embora este livro contenha 13 capítulos, o guia para discussão combina os capítulos 1 e 2 para um estudo em grupo de 12 semanas. O número de questões de cada "sessão" (nunca menos de sete ou mais de 11) fornece material de estudo para aproximadamente uma hora de discussão, conforme o tamanho do grupo e seu nível de participação. Fique à vontade para omitir questões ou acrescentar seus próprios temas e perguntas. E, é claro, reserve um período para socialização e oração, conforme for melhor para seu grupo, sua situação e suas limitações de tempo.

Outra idéia seria a de convidar seu pequeno grupo para ler o livro no seu próprio ritmo e marcar uma data para se reunirem e trocarem idéias, como normalmente se faz em um clube do livro.

Você também pode usar o livro com uma "parceira de propósitos", ou discipuladora, ou em um retiro para mulheres. Para dividir o livro em três sessões principais, o orador poderá agrupá-lo da seguinte forma: primeira sessão — capítulos 1 a 4; segunda sessão — capítulos 5 a 8; terceira sessão — capítulos 9 a 13. Para dividir em quatro sessões: primeira sessão — capítulos 1 e 2; segunda sessão — capítulos 3 a 6; terceira sessão — capítulos 7 a 10; quarta sessão — capítulos 11 a 13.

Capítulos 1 e 2: "Sua vida está fora de sintonia?" e "Deixe o passado para trás"

1. Comece a primeira reunião convidando o grupo para uma conversa sobre uma das questões a seguir que seja de importância para seus membros:
   - Amado Deus, qual é o meu lugar? Como posso ser útil? O que reservaste para mim?
   - Será que alguém realmente precisa de mim? Minha vida faz diferença no mundo?
   - Por que me sinto fracassada como cristã?
   - Por que não me deleito mais com o ministério que exerço na igreja, com as minhas responsabilidades familiares ou com meu trabalho? Por que me sinto tão insatisfeita?
   - Por que não sou feliz? Por que sinto tanto desgosto?
   - Será que a vida se resume a isso? Será que é isso que Deus deseja para minha vida?
   - Quando meus sonhos e minhas paixões foram relegados a último plano?
   - Se ouvisse o chamado de Deus, teria tempo e força suficientes para atendê-lo?
2. Imagine que você está tentando carregar algo muito pesado, como, por exemplo, uma mochila cheia ou uma pessoa nas costas. Como você se sente perdendo o equilíbrio por causa do peso extra? De que forma o "peso emocional extra" do passado afeta você hoje?
3. De que forma seu passado — tanto as coisas *boas* quanto as *ruins resolvidas* — afetou positivamente sua vida? Em outras palavras: seu passado fortaleceu seu caráter e despertou empatia pelo povo de Deus? Ensinou-a a ter humildade e paciência? Você buscou o perdão ou aprendeu a perdoar?

4. Descreva uma ocasião em que você consolou outra pessoa com a consolação que recebeu de Deus (cf. 2Co 1.3-7, especialmente v. 5). Como essa experiência alterou seu entendimento a respeito da forma como Deus age?
5. De que maneira seu testemunho reflete sofrimento, desolação e renovação?
6. Discuta quaisquer conclusões ou aplicações da história de Maria Madalena, em Lucas 8.2 e João 20.1-18, sobre "esquecer o que ficou para trás e prosseguir em direção ao alvo" (v. p. 40).
7. Quais das seguintes medidas você gostaria de tomar esta semana (p.36-9)? Por quê?
   - Registrar minha dor para conseguir superá-la
   - Buscar ajuda profissional
   - Lembrar-me de um momento de cura
   - Decidir confiar em Deus com todas as forças
   - Registrar meu testemunho
   - Perguntar: "A quem minha dor poderia transmitir esperança?"

CAPÍTULO 3: FAÇA HOJE O QUE É IMPORTANTE

1. Que funções em sua vida a fazem pular de alegria e quais as que a deixam esgotada?
2. Discuta sobre até onde você julga existir uma ligação direta entre o modo como lida com sua rotina e suas ingratas tarefas diárias e o propósito empolgante, maior do que a própria vida, que a aguarda.
3. Descreva uma ocasião em que Deus abençoou sua fiel obediência na realização de suas *tarefas diárias*.
4. Descreva uma ocasião na qual você aplicou a Palavra de Deus às circunstâncias cotidianas. Como essa experiência a afetou? Essa prática é comum em sua vida?

5. Diga se você tem a tendência de buscar os campos mais verdes de atribuições mais grandiosas e impressionantes entregues por Deus ou se está satisfeita com a noção atual de ter um propósito.

6. Discuta sobre quaisquer entendimentos ou aplicações sobre "como abraçar suas funções atuais", encontradas por você na história de Lídia, em Atos 16.11-15,40 (v. p. 60).

7. O que Deus deseja que você seja e faça em seu mundo de rotinas hoje?

8. De que forma você já é uma missionária oficial de Cristo ("pessoa que se dedica a pregar uma religião, a catequizar e a trabalhar para a conversão de alguém à sua fé") em casa, na igreja, no trabalho, na escola, no bairro, no Estado ou nação?

9. Quais das seguintes medidas você gostaria de tomar esta semana (p. 58,9)? Por quê?

- Priorizar minhas funções
- Cuidar bem da saúde
- Não entrar em pânico
- Aproveitar cada momento

CAPÍTULO 4: AME OS OUTROS COMO JESUS AMA VOCÊ

1. Discuta sobre você estar, ou ainda não estar, passando por esse processo de amor. Você já ama os outros ou não tem a menor vontade de aprender a amar? Cite uma das primeiras experiências nessa área de sua vida.

    0 — Gente, é melhor abrir caminho, senão *passo* por cima.

    3 — Se agüentar essas pessoas, consigo o que quiser delas.

    5 — Muitas pessoas são esquisitas, mas, em geral, vale a pena investir nelas e depois conhecê-las melhor.

    7 — Gosto da maioria das pessoas.

    10 — As pessoas são preciosas para mim.

2. Alguma vez na vida você já tentou servir, compartilhar o evangelho ou crescer espiritualmente sem amor? Conte sua experiência para o grupo.

3. O que você pensa da seguinte sentença: "Ter relacionamentos saudáveis e afetuosos não é apenas uma sugestão agradável, mas um preceito bíblico"?

4. Sem se sentir obrigada a dar detalhes, conte como você aprendeu uma difícil lição sobre limites, confiança, compromisso, ódio, fanatismo, dependência, abuso ou negligência.

5. Descreva seu sistema de apoio nos momentos de desalento e em tempos de alegria.

6. Explique se você tem ou não a "doença do destino" (estar mais preocupada em chegar ao destino do que em aproveitar a viagem com pessoas boas).

7. Como o perfeccionismo pode impedir uma mulher de amar os outros?

8. Discuta: para você, a vida é mais uma corrida de três pernas ou um jogo de paciência?

9. Leia o "capítulo do amor": 1Coríntios 13, em várias versões da Bíblia. Como as palavras do apóstolo Paulo repercutem e reforçam o mandamento de Jesus em João 13.34,35?

10. Quais das seguintes medidas você gostaria de tomar esta semana (p. 73-5)? Por quê?

    • Procurar marcar a vida de alguém com amor

    • Relacionar-me com as pessoas na igreja

- Oferecer perdão
- Avaliar as oportunidades de relacionamento
- Orar pelos pouco amorosos e indelicados

Capítulo 5: Busque a paz

1. Como você se sente sobre o preceito bíblico de *buscar a paz e segui-la*?
2. Qual a sua situação de acordo com a "Escala Richter da paz interior"?

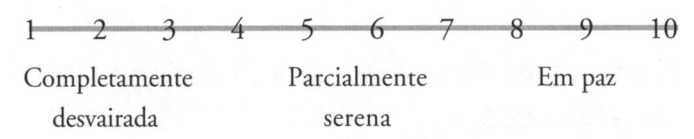

    1—2—3—4—5—6—7—8—9—10
    Completamente   Parcialmente   Em paz
    desvairada   serena

3. Leia a história das duas irmãs, Maria e Marta, em Lucas 10.38-42 (v. p. 98). Fale sobre como o tipo de personalidade afeta o ideal de "buscar a paz".
4. Discuta o seguinte conceito: *cultivando mais intimidade com Jesus, você aprenderá a reconhecer a voz de Deus e a entender melhor as atribuições atuais e futuras que ele lhe confia.*
5. Como você toma suas decisões sobre questões familiares, financeiras e profissionais? Como você gostaria de tomar suas decisões?
6. Em sua opinião, qual é a ligação existente entre oração, paz e propósito?
7. Cite algumas formas de ouvir Deus durante sua rotina diária. Você consegue imaginar uma nova abordagem para experimentar esta semana?
8. De que forma a busca da paz é, em si, um propósito de vida?
9. Descreva uma ocasião em que Deus compartilhou idéias com você depois de um momento de quietude.

10. Quais das seguintes medidas você gostaria de tomar esta semana (p. 94-6)? Por quê?
    - Praticar o silêncio
    - Fazer calar o constante burburinho mental
    - Enviar orações-relâmpago aos céus o dia todo
    - Não me sentir culpada quando cair no sono ou tirar uma soneca durante o período de silêncio
    - Mudar de ritmo imediatamente
    - Evitar os perturbadores da paz

Capítulo 6: Arrependa-se e desvie-se de todos os seus males

1. Releia este parágrafo do capítulo (p. 100):
   > A etapa *arrepender-se e desviar-se de todos os seus males* faz muitas mulheres vacilarem, como se estivessem aprendendo a dançar salsa (um passo à frente, com o pé esquerdo; um passo atrás, com o pé direito).

   Dê um exemplo específico de como você "vacilou" diante do arrependimento no passado.

2. Em sua opinião, qual é a relação entre a formação do seu caráter (pecar menos, arrepender-se mais e ser muito mais obediente) e um propósito de vida distinto?

3. Que mudança o arrependimento trouxe para você, em algum momento, no seu estilo de vida?

4. Que medidas proativas você recomenda para evitar ou resistir à tentação?

5. De que forma você se identifica com os pecados universais mencionados pelos jovens detentos?
    - Egoísmo
    - Ciúme

- Insegurança
- Teimosia
- Ganância
- Preguiça
- Intolerância
- Ira
- Vícios ou obsessões
- Satisfação imediata

6. Leia a conversa de Jesus com a mulher samaritana, em João 4.4-42 (v. 7-29) apresentam a essência da história). Que sinal inicial de arrependimento da mulher fica evidente nessa passagem das Escrituras?

7. Qual foi a mudança mais drástica que você testemunhou na vida de alguém por causa de seu arrependimento?

8. Quais das seguintes medidas você gostaria de tomar esta semana (p. 111-4)? Por quê?
    - Voltar-me para Deus
    - Memorizar as Escrituras
    - Considerar as conseqüências de meu pecado
    - Considerar as bênçãos perdidas
    - Aceitar ser corrigida
    - Ser sincera a respeito dos cinco pecados
    - Fazer uma oração

Capítulo 7: Lavem os pés uns dos outros

1. Existe alguém no seu grupo que realmente lavou os pés ou cortou as unhas dos pés de alguém além dos filhos? Descreva a experiência. Em caso negativo, descreva uma experiência semelhante de serviço manual que tenha sido especialmente difícil.

2. Leia, em João 13.1-17, o relato de quando Jesus lavou os pés dos discípulos. Que conclusões sobre o serviço você tira dessa passagem, especialmente dos versículos 13-17?

3. Como você se sente a respeito deste conceito apresentado por Henry Blackaby e Claude King: "Procure descobrir onde Deus está agindo e junte-se a ele"? Que desafios ou oportunidades você poderia obter com isso?

4. Quando e como você aprendeu que o serviço humilde é um dos propósitos de Deus para sua vida?

5. Pense em um exemplo no qual Deus agiu de forma poderosa para reforçar a influência e o ministério de alguém que lhe foi obediente.

6. Descreva sua experiência de aprender a ter empatia e paciência ao tomar medidas para cumprir seus propósitos.

7. Em que ponto você está no processo de descobrir seu dom espiritual?

8. Descreva algo que você aprendeu em um ministério da igreja ou em uma experiência missionária.

9. Cite um exemplo de um "gol de placa" (fazer, com uma atitude positiva, imediatamente o que Deus pedir) da sua vida ou da vida de outra pessoa.

10. Quais das seguintes medidas você gostaria de tomar esta semana (p. 131-3)? Por quê?
    - Aproveitar oportunidade de me oferecer hoje
    - Pensar a longo prazo
    - Manter o equilíbrio; deixar uma margem de segurança
    - Fazer um inventário dos meus dons espirituais
    - Experimentar novos ministérios

Capítulo 8: Caminhe com integridade

1. Cite algumas motivações para esperar que Deus lhe revele o propósito único de vida (por exemplo, satisfazer a curiosidade, poder gabar-se depois, ou servir a Deus e outros). Você descobriu alguma motivação escusa ao refletir sobre este capítulo?

2. Como a intriga pode ser uma motivação destrutiva em um pedido de oração?

3. Sem citar nomes nem circunstâncias identificáveis, descreva situações em que testemunhou como a falta de integridade de alguém a levou a enganar, invejar, caluniar, criar intrigas, prejudicar alguém com malícia, bajular, ser desleal ou ser secretamente má? Quais foram as piores repercussões da falsidade dessa pessoa?

4. Considere as seguintes motivações impuras que poderiam prejudicar seriamente um relacionamento: desejo de manipular a situação, controlar uma opinião, obter vingança, incitar confusão, causar constrangimento para alguém ou ostentar talentos, beleza ou conhecimento. Se reconhecermos essas motivações em nós mesmos, como poderíamos cooperar com Deus para combatê-las?

5. Leia estes três versículos das Escrituras sobre motivações: 1Crônicas 28.9, Provérbios 16.2 e 1Coríntios 4.5. Discuta os principais conceitos que eles apresentam.

6. Lembre-se de uma ocasião em que você ou alguém que você conhece foi motivado a agir pelo sentimento de culpa. Sabendo o que sabe hoje, como você lidaria com a situação ou aconselharia alguém a fazê-lo?

7. Quais das seguintes medidas você gostaria de tomar esta semana (p. 149-51)? Por quê?

- Pedir que Deus me dê um exemplo específico
- Pedir a uma amiga para me avaliar
- Apresentar minhas motivações impuras a Deus

Capítulo 9: Espere que Deus atenda aos desejos de seu coração

1. Em sua opinião, qual é o significado de Salmos 37.4: "Deleite-se no Senhor, e ele atenderá aos desejos do seu coração"? Leia o contexto das palavras de Davi em Salmos 37.1-6.
2. Você sofre com alguns destes sentimentos?
    - Não mereço receber a grande recompensa de viver apaixonadamente.
    - As paixões são armadilhas de Satanás para me fazer desejar recompensas seculares.
3. Qual é a sua visão de Deus: o soberano ameaçador do Universo, o juiz justo, o rei poderoso, o Aba/Pai, ou outra? Como sua visão de Deus ajuda ou prejudica sua capacidade de viver com paixões saudáveis?
4. Qual seria a sua reação se alguém lhe perguntasse:
    - Por que Deus permitiria que eu, uma grande pecadora, fizesse o que gosto de fazer?
    - E se Deus não aprovar meus maiores desejos saudáveis?
5. Como as paixões saudáveis a ajudam a se proteger dos vícios?
6. Em sua opinião, qual é a relação entre as paixões saudáveis de uma mulher e os propósitos de Deus para sua vida? Descreva uma das suas paixões e sua possível relação com os propósitos de Deus.
7. Quais das seguintes medidas você gostaria de tomar esta semana (p. 167-9)? Por quê?

- Usar algumas das dicas básicas do capítulo 9, para começar
- Ter cuidado com o ciúme que sinto dos outros
- Sonhar acordada
- Não perder tempo e experimentar

CAPÍTULO 10: OFEREÇA SUA VIDA A DEUS

1. A entrega a Deus deixa você assustada ou animada? De que forma?
2. O que você pensa da afirmação: "Toda a Criação pertence a Deus, até mesmo nós: você e eu. Nossa vida nos foi apenas emprestada. Estamos administrando bem o que Deus nos confiou"?
3. Descreva alguns dos ídolos que hoje a cativam (os ídolos incluem tudo o que tem prioridade sobre Deus em sua vida, tudo aquilo de que você não quer abrir mão). De que maneira poderia abandonar essa idolatria?
4. Leia a história da visita do anjo Gabriel a Maria, em Lucas 1.26-38 (v. p. 188). Discuta suas conclusões e as aplicações sobre entrega que encontra nessa passagem da Bíblia.
5. Por que você julga importante entregar a Deus o que você sonha em fazer?
6. Como a prática espiritual da entrega prepara você para as futuras atribuições que Deus lhe dará?
7. De que forma o ato de "levantar a bandeira branca da entrega a Deus" pode ser uma vitória?
8. Quando e como você percebeu, pela primeira vez, que a entrega era um propósito claro e tangível atribuído para hoje? Como essa compreensão a afetou?

9. Descreva uma ocasião em que você ou uma pessoa conhecida entregou algo a Deus e depois recebeu a orientação do Maravilhoso Conselheiro.
10. Você ainda amaria a Deus e o seguiria, se ele lhe tomasse tudo o que você lhe entregou?
11. Quais das seguintes medidas você gostaria de tomar esta semana (p. 184-6)? Por quê?
    - Buscar a verdade
    - Fazer minha parte
    - Avaliar o custo
    - Pensar com a mente de Cristo
    - Renunciar publicamente ao controle de minha vontade
    - Começar fervorosamente
    - Assumir o "desafio de um dia"

Capítulo 11: Contemple a visão de Deus

1. Discuta se você "contempla ansiosamente a visão que Deus, o Senhor todo-poderoso, revelará a você".
2. E se Deus lhe enviar uma mensagem gravada ou a chamar em voz alta dizendo: "Esta é sua missão pelo resto da vida. Você me honrará decidindo aceitá-la?", você a aceitará? Você está pronta para aceitá-la? Explique por quê.
3. Cite uma ocasião na qual você tenha levantado uma das seguintes questões:
    - E se eu estiver fazendo alguma coisa errada que impeça Deus de falar comigo?
    - E se Deus já revelou sua visão e eu não percebi?
    - E se eu ouvir os pensamentos de Deus, mas não quiser fazer o que ele me mandar?

4. De que forma você acredita que Deus lhe está dando uma amostra da visão que ele tem para sua vida, da tarefa humanamente impossível de fazer o que ele tem em mente para você?

5. Que homens ou mulheres de visão mencionados nas páginas 202-3 são particularmente inspiradores para você? Por quê?

6. Como você se sentiria se tivesse de realizar uma tarefa visionária de Deus que a fizesse parecer tola aos olhos do mundo (como Noé, que construiu a arca na terra seca)?

7. Até que ponto você está preparada e começou a cumprir a visão de Deus para sua vida? Pediu que Deus lhe revelasse a visão, admitiu que a viu, buscou aconselhamento em meio à confusão ou pôs mãos à obra depois de receber as instruções?

8. O que você pensa de receber uma visão que lhe custará a vida, no sentido de que deve abdicar do seu ser e aceitar o plano de Deus, e de que será consumida e usada pelo serviço a ele?

9. Diga se você realmente acredita que Deus produzirá uma epifania em sua vida, que lhe mostrará claramente quem ele é e como você pode adorá-lo com sua vida.

10. Quais das seguintes medidas você gostaria de tomar esta semana (p. 207-8)? Por quê?

    - Orar e pedir que outros orem para que Deus me revele sua visão para minha vida
    - Ser confiante
    - Exercitar a paciência
    - Pedir que Deus fale comigo

CAPÍTULO 12: TENHA CORAGEM

1. Se você não se importar, revele um de seus medos.
2. Conte sobre uma ocasião na qual Deus a usou, apesar do seu medo.
3. Do que você menos gosta a respeito do seu medo (por exemplo, ele bloqueia a criatividade, a produtividade ou os relacionamentos em sua vida)?
4. Conte sobre uma ocasião em que você perseverou, apesar do medo. Como Deus usou essa experiência em sua vida?
5. Qual dos seguintes medos é mais forte hoje em sua vida ou na de outras pessoas: medo do ridículo e da crítica, medo do sucesso, medo de ser desmascarada, medo do fracasso?
6. Leia Isaías 43.1-5. Dessa passagem, o que esta versão resumida significa para você: "Não tema, pois eu o resgatei; eu o chamei pelo nome; você é meu. Não tenha medo, pois eu estou com você"?
7. Conte sobre uma pessoa corajosa que você conheceu ou sobre a qual leu.
8. Em que circunstâncias Deus está pedindo atualmente para você *caminhar sobre a água* em sua direção, mantendo os olhos fixos nele?
9. Quais das seguintes medidas você gostaria de tomar esta semana (p. 223-5)? Por quê?
   - Empregar a tática da hierarquia dos medos e entregá-los, um a um, a Deus
   - Perguntar a mim mesma: "Que tipo de egocentrismo o medo desperta em mim?" e "O que o medo roubou de mim?"
   - Aplicar a tática de "comer apenas o espinafre"
   - Sustentar minha coragem com a Palavra de Deus

Capítulo 13: Glorifique Deus

1. Você acredita que está demorando demais para começar a cumprir sua missão para Deus? Explique.
2. Leia a história do "sonho impossível" de Sara, em Gênesis 18.10-15 e sua realização em Gênesis 21.1-7 (v. p. 241). Discuta suas conclusões e as aplicações que você pode extrair dessas passagens bíblicas.
3. A seu ver, de que milagres você precisará para completar a obra que Deus lhe deu para realizar?
4. Qual seria o aspecto mais desafiador de incluir na sinfonia da sua vida a sigla *SDG* (do latim *soli deo gloria*, que significa "somente para a glória de Deus")?
5. Quando você se ajoelhou e exclamou: "Obrigada, Jesus, por permitir que eu, uma mulher comum, tenha o privilégio de ser usada por ti"?
6. Conte sobre sua dificuldade em equilibrar e administrar tempo, energia, recursos, crescimento espiritual, talentos, caráter, experiências e funções. Você está ansiosa para que tudo isso se converta no plano de Deus para sua vida?
7. Conte se você experimentou a pura alegria de Jesus ao realizar a missão que ele determinou.
8. Quais das seguintes medidas você gostaria de tomar esta semana (p. 237-9)? Por quê?
   - Compartilhar minhas impressões de Deus
   - Limpar a casa novamente
   - Optar pela alegria, optar por Jesus
   - Registrar os milagres em um diário espiritual
9. Revise todas as medidas dos capítulos anteriores. Compartilhe uma que você tenha tomado e conte como ela marcou sua vida. (Para facilitar, use as questões prontas deste Guia.)

Um novo começo com Jesus

> *Por isso Deus o exaltou [Jesus] à mais alta posição e lhe deu o nome que está acima de todo nome, para que ao nome de Jesus se dobre todo joelho, nos céus, na terra e debaixo da terra, e toda língua confesse que Jesus Cristo é o Senhor, para a glória de Deus Pai*
> (Filipenses 2.9-11).

Enquanto lia este livro, você concordou em permitir que Jesus seja seu Salvador? Se está pronta, hoje, para dar o primeiro passo na caminhada com propósitos, esta é uma simples oração que você pode fazer:

> *Jesus, creio que morrestes por mim e que Deus o levantou dos mortos. Por favor, perdoa meus pecados. Tu és meu Salvador e minha única esperança. Quero cumprir tua vontade em minha vida. Curvo-me e confesso que tu, Jesus Cristo, és o Senhor.*

Se você decidiu agora aceitar Jesus como seu Salvador e Senhor, tem a garantia eterna da salvação. Nada a tirará das mãos de Deus. Por favor, conte a alguém sobre sua decisão, para que essa pessoa possa encorajá-la; agradeça a Deus o plano cheio de propósito e graça que ele elaborou para você.

Se você decidir não fazer a oração, peço-lhe que marque esta página e continue buscando a verdade com o coração e a mente abertos. Se precisar de ajuda, procure um pastor ou uma amiga cristã. Alguns versículos que recomendo:

Romanos 3.23:	Todos pecaram.
Romanos 6.23:	O céu é um dom gratuito.
Romanos 5.8:	Por amor a nós, Jesus pagou o castigo que merecíamos por nossos pecados, morrendo na cruz.
Romanos 10.9,10:	Se você confessar que Jesus é Senhor e disser a Deus que crê que ele o ressuscitou dentre os mortos, será salva.
Romanos 10.13:	Peça a Deus para salvá-la com sua graça e ele o fará!

AGRADECIMENTOS

A todos aqueles que caminharam comigo durante os 15 anos, ou parte deles, que levei para escrever este livro.

A minhas incontáveis guerreiras de oração, especialmente a Gwen Kennedy, que foi incansável. A Linda Smith, que verificou todas as citações das Escrituras, tendo trabalhado até tarde da noite. A Anita Renfroe, minha talentosa consultora humorística. A minhas grandes e prestativas críticas e críticos: Jessie Mikolaski, Maura Ewing, Ina Miller, Jim e Lena Campbell, Maria McNeill, Janet Pound, Denise Paley e Susan Waterman. A algumas de minhas clientes (amigas queridas) do LifePlan, que enriqueceram o manuscrito com suas opiniões: Lisa Kuecker, Clara Yan, Colleen Bowen e Carol Travilla. E especialmente ao incomparável quarteto Lynne Ellis, Linda Kaye, Suzanne Montgomery e Tobin Perry, que cuidaram de algumas das revisões mais difíceis durante esses anos. Toda a minha gratidão ao pastor Doug Fields, que contribuiu para este projeto com suas opiniões e seu amor, em uma época *muito difícil* de sua vida.

A minha sobrinha, Alicia Nishioka, que, em 1993, foi a primeira artista da "capa" a assumir essa atribuição de antemão. A Sharon Wood, que então criou o livro de estudos do meu primeiro seminário. A Katie Keller, que, em 1994, aconselhou: "Creio que Deus deseja que você faça isso. Por favor, não desista". A Cathy Workman, que começou a armazenar disquetes de manuscritos para mim em 1995, quando ainda estava no colegial. A Philip Hamer e Benson Bird, que, quando ainda estavam no colegial, em 1997, editaram minha primeira apresentação em vídeo para uma editora. E a Matt McGill, um dos pastores da Saddleback que, em 2000, estimulou-me a seguir a visão que Deus tinha dado a mim.

A minha amada companheira de viagem — minha mãe —, ao meu querido pai e aos meus sete irmãos e irmãs, que me ensinaram a palavra de Deus, cada um à sua maneira. Ao meu irmão Mark, a leitura e o comentário de "o livro da irmã para as mulheres". A minha irmã Terri, o agasalho que me deu, anos atrás, com a inscrição *Acredite*, que resume sua mensagem de vida para mim. A minha irmã Cathy, que deixou que eu praticasse minha primeira sessão de mediadora do LifePlan com ela! E, de todo o coração, a minha irmã Maureen, seu incrível dom de escrita narrativa e as bondades ao dedicar incontáveis horas aos intermináveis rascunhos.

A Nancy Jernigan, minha "agente de milagres" que crê sinceramente no plano jubiloso de Deus para minha vida. E à equipe da Zondervan, que certamente conheci pela graça de Deus: Darwin Rader e Greg Stielstra, sábios e visionários gerentes comerciais; Greg Clouse, meu paciente e dedicado editor de desenvolvimento; Cindy Davis e Beth Shagene, capista e diagramadora; Jeff Bowden, produtor do meu livro em áudio; Jaime Seaton, fenomenal gerente de vendas de contas nacionais, com o apoio da competente equipe interna e externa da editora Zondervan. De fato, foi necessária uma pequena vila de profissionais para lançar cinco produtos simultaneamente. E, com toda a humildade, a Cindy Hays Lambert, editora executiva sênior de aquisições, minha santa peregrina, cuja sabedoria e raciocínio estratégico são incomparáveis.

E à inestimável Amanda Sorensen, editora *freelancer*, sua incansável busca pela excelência da palavra e da coesão. Ela foi a resposta de Deus às orações que fiz durante sete anos, para que pudesse encontrar uma mulher que me ajudasse a ter mais clareza e ritmo!

Muito obrigada a todos por seu amor. Agradeço sua amizade e reconheço sua enorme contribuição para este livro.

NO PRELO

Oração com propósitos para mulheres

Oração com propósitos é uma experiência de seis dias de oração que orienta a leitora a pedir que Deus lhe revele os propósitos que ele tem para ela. Você encontrará exemplos atuais da vida real e de personagens bíblicas, questões específicas a serem consideradas na busca pela resposta de Deus e uma análise surpreendente de sua singularidade e dos propósitos divinos reservados para você.

— USO PESSOAL —

O livro pode ser usado isoladamente como devocional diário. Entretanto, usá-lo como um complemento para a leitura de *Cominhada com propósitos para mulheres* resultará em uma experiência muito mais profunda e enriquecedora.

— USO EM PEQUENOS GRUPOS E RETIROS —

Ideal para retiros. As mulheres podem ler o livro no seu próprio ritmo em um fim de semana. No último dia, em duplas, podem compartilhar o que aprenderam com a leitura.

Visite o *site* www.editoravida.com.br

Esta obra foi composta em *Agaramond*
e impressa por Imprensa da Fé sobre papel
Chambril Avena 70 g/m² para Editora Vida.